DR. CAYETANO COLL Y TOSTE

LEYENDAS PUERTORRIQUEÑAS

Décima cuarta edición

SELECCION

DE

LEYENDAS PUERTORRIQUEÑAS

DEL

DR. CAYETANO COLL Y TOSTE

Compiladas y anotadas para uso escolar
con autorización del
Departamento de Educación de Puerto Rico

POR
CAYETANO COLL CUCHI

EDITORIAL ORION
MEXICO, D. F.
1957

Imreso en México

Printed in Mexico

Impreso en los talleres de la EDITORIAL ORION, Sierra Mojada, 325. Lomas Chapultepec. México, D. F.

APUNTES BIOGRAFICOS

Verdaderamente el culto a los muertos de valimiento reposa en que tales muertos no están muertos. — Cayetano Coll y Toste.

La muy Leal Villa del Capitán Correa, blasonada con el nombre de su cacique Arasibo, tiene la aristocracia de su ancianidad. La crónica atestigua que su fundación de aldehuela se remonta al 1616, convirtiéndose en Villa en 1778. Y como si esto no fuera suficiente para legitimar su nobleza, se jacta además, de ser cuna de muchos hijos ilustres. El heroísmo del boricua se pondera en la recia personalidad del joven Capitán de Milicias, don Antonio de los Reyes Correa, defensor de su Villa contra los ingleses en el siglo XVIII; y en el osado marino Víctor Rojas, condecorado varias veces por su arrojo en arrebatarle muchas víctimas al mar enfurecido. Y en este mismo valle fértil, de espesos platanales y de ricas mieles, bañado generosamente por las aguas cristalinas del *Abacoa*, entre otros, templaron sus liras Pachín Marín y el Caribe.

Arecibo nos dió, también, a Cayetano Coll y Toste. En una casona de dos pisos, en la vieja Calle de la

Cruz, que hoy lleva su nombre, nació el futuro Historiador de Puerto Rico, el día 30 de noviembre de 1850.

Su padre, don Francisco Coll y Baza, era oriundo de Figueras, Cataluña, comerciante; y su madre, doña Monserrate Toste y Torres, descendía de marinos portugueses. En sus narraciones históricas y leyendas, de cuando en cuando, Coll y Toste nos regala un dato biográfico. Por ellas sabemos que sus abuelos y padres eran ricos, pero al quedar huérfano de padre a los cinco años de edad, su madre tuvo que asumir toda la responsabilidad de su joven prole. Malas administraciones mermaron el capital que habían disfrutado sus antepasados.

Coll y Toste se enorgullece de su abolengo marino. El abuelo materno, don José Francisco Torres había sido hábil en el manejo del timón de su goleta la *San Felipe*; y su tío Isidoro vivía enamorado del mar con sus ondas verdes "como los ojos de una mujer hermosa." Se sintió halagado, de niño, en su amistad a Víctor Rojas, dejándonos un magnífico retrato del héroe en su galería de puertorriqueños insignes.

Las anécdotas sobre su infancia están matizadas de travesuras típicas de la edad, cuando estaba en boga *la palmeta*, "odiado instrumento de castigar antaño a los educandos." Solía "comer jobos" con sus amiguitos, para ir a gozar en el Fuerte de Arecibo de la natación. A los once años de edad estudiaba en la escuelita particular del mallorquín don Juan Massanet, donde aprendió "a escribir, a contar hasta quebrados y a leer." A este noble mentor, que era un gran calígrafo, le debía su fina letra inglesa. De gramática no sabía ni sintaxis, según él mismo confiesa. Y es que en aquella época indigente de censura y *lápiz rojo* la educación era harto deficiente, existiendo algunas escuelitas privadas, donde el niño aprendía las primeras letras.

Arecibo no podía brindarle al adolescente un pan superior para el espíritu, viéndose obligado a separarse de su madre para ingresar en el Colegio de los Jesuítas en San Juan, cursando aquí su bachillerato con notas sobresalientes, coronados sus esfuerzos con premios y certificados honoríficos. Era entonces Rector del Colegio el Reverendo Padre Lluch, catalán; y hacía de secretario el Padre Nín, quien lo escogió por su hermosa letra, para llenar mensualmente los diplomas de los premios. Solía escribir en ellos los nombres de los alumnos con tinta azul, sombreados con tinta roja. Los premios consistían en ocupar puestos prominentes entre los estudiantes; y así llegó a ser campanero, correo, ayudante de misa y Secretario de la Congregación de San Luis Gonzaga. La opinión de Coll y Toste sobre la enseñanza de los Jesuítas contrasta con la de su escuela elemental. Hablando con el culto Padre Nazario años más tarde sobre su Colegio lo ensalza hasta el extremo de juzgarle "el mejor plante de enseñanza de Puerto Rico." "Mis catedráticos," añade, "fueron los padres Cabrera, Ovieta, Berasategui, Caroccini y el capellán de Artillería, padre Catalán, Profesores competentísimos...".

Del Colegio de Jesuítas, Coll y Toste pasó a trabajar en la Farmacia de don Félix S. Alfonzo, amigo de sus padres, quién se le brinda a servirle de padrino. Don Félix se vanagloriaba de tener, por entonces, la mejor botica de la Capital, prometiéndole, por consiguiente, al joven bachiller un porvenir asegurado. Pero Coll y Toste tenía otras aspiraciones: la de ser médico como su abuelo y su tío en Barcelona. Y viendo que las responsabilidades aumentaban sin recompensa alguna, pues desempeñaba sus deberes gratuitamente, decidió embarcarse para Arecibo en la goleta *Petra* y plantearle a su madre el problema de sus estudios. Llegó a su pueblo natal con sólo la ropa que tenía del Colegio, manchada de efectos químicos de la botica, pues servía de ayudante a Malpica en la preparación de drogas y tinturas. Por la noche se dedicaba a despachar recetas con Don Ventura. "El bolsillo", concluye en su relato sobre su regreso al hogar, "sin un céntimo, solo lleno de sobresalientes y premios ganados en el Colegio".

Doña Monserrate, viuda, con tres hijos más, Juana, José y Francisco no estaba en condiciones económicas de sufragarle una carrera al hijo que promete. No tuvo éste, pues, otro remedio que buscar un empleo en otra farmacia en Arecibo. En la plaza principal del pueblo, en la segunda casa de la manzana que se quemó en el fuego de 1893, estaba la de don Salvador

Picornell. Sólo que don Salvador tenía todas sus plazas de dependientes ocupadas, y el joven Cayetano se vió precisado a trabajar en su botica sin sueldo. Desde el primer día mostró gran diligencia en ser el primero en llegar a su faena, y puso tal orden en la misma, que se ganó inmediatamente la buena voluntad del Propietario. Su fina letra inglesa, al copiar las recetas, hizo que Picornell le asignara un sueldo fijo, aunque modesto, siendo ésta la manera "cómo se ganó su primera peseta".

Pero el médico en ciernes no había desistido de sus aspiraciones; y a los seis meses de estar trabajando con Picornell se aventuró a dejarle para llevar a cabo su soñado viaje a la Ciudad Condal en busca de los conacimientos científicos de los hijos de Esculapio.

Doña Monserrate, su madre, ejercía la noble profesión de maestra de escuela en Arecibo. Aquí recibían la instrucción, en una era de limitaciones culturales, las niñas de las mejores familias de la Villa. De un espíritu extraordinariamente inquieto y agresivo, la madre ejemplar supo, además, capitalizar su habilidad en el manejo de la aguja con el fin de ayudar al hijo en sus estudios.

Antes de partir para España, Cayetano se despidió de doña Balbina García, gran y noble amiga de su madre, quien le entregó una bolsita de plata con cien pesos en onzas de oro. Al llegar a Barcelona el ambicioso muchacho se encaminó en seguida a la Secretaría de la Universidad y pagó de contado todos los honorarios y derechos de matrícula que correspondían a los próximos tres años. Ni un solo momento pensó en malgastar su dinero en diversiones, gesto que ya descubría una voluntad de acero y una conducta intachable. Hecho esto, sólo le quedaban treinta pesos mensuales para albergarse y sostenerse. Con tan poco dinero no podía conseguir una casa de huéspedes decente en Barcelona, y recurre a su tía Dolores, en Figueras, proponiéndole que se viniera a vivir con él. Muy cerca de Barcelona, en el pueblito de Gracia, hoy parte de la ciudad catalana, tomaron tía y sobrino un piso pequeño, que les costaba unos seis duros al mes, en la Calle Petrichol. Con un gran sentido de orden y economía, Coll y Toste organizó su vida al lado de la tía Dolores, consistiendo su alimento, "por tres años consecutivos, en un buen plato de funche de maíz y un vaso de leche de cabras para el almuerzo; y por la tarde, una chuleta de cordero y ensalada de escarolas".

A los dos años de estar viviendo en Barcelona conoció a la familia de don José Cuchí y Arnau, Jefe del Partido Español en Arecibo y ex-Alcalde Mayor de la muy Leal Villa por espacio de diez años. La segunda hija de Don José, Adela, era una hermosa joven de catorce años, con abundante cabellera negra peinada en trenzas que le llegaban hasta las rodillas. Cayetano se enamoro de ella, y con gran regocijo de don José, la hizo su esposa. Al poco tiempo de esto muere el suegro de repente y el juicioso galeno decide regresar lo más pronto posible a su tierra, al lado de la madre resignada que tantos sacrificios había hecho para darle carrera.

En Barcelona dejaba tras sí gratos recuerdos y buenos amigos. Su carrera la había cursado en tres años, aventajándose de la enseñanza Libre, e iniciándose en el ejercicio de la misma en Barcelona. En 1873, un año antes de graduarse de médico, había fundado un semanario literario con el título de *El Ramillete*. En unión de don Salvador Mestre y Mora comenzó su *Tertulia Antillana de Amigos de la Ciencia*. Entre sus compatriotas tenía por amigo en Cataluña, estudiante como él, al ínclito patricio don Rosendo Matienzo Cintrón. Y en su *Boletín Histórico* nos cuenta de sus tertulias amenas con *El Caribe* y otros puertorriqueños. Fué para esta época formatriz que empezó a sentir su afición por la historia. Los amigos liberales dejan su impacto definitivo en quien más tarde va a defender en su tierra el liberalismo frente al despotismo español, que no sólo estrangulaba la vida isleña, sino al propio pueblo español. Coll y Toste combatió los males de la colonia, como puertorriqueño y español, sin conspirar jamás contra España. Fué, en síntesis, liberal con los de la Metrópoli y con los de Borinquen.

¡Cómo le latió el corazón a Coll y Toste al divisar de nuevo los peñascos del Morro, los cocoteros de Cangrejos, la caña juguetona de Cambalache! ¡Y cómo lloró de alegría la madre amorosa al estrechar de nuevo al hijo que tuvo tantos años ausente!

A su arribo a la Isla en 1875, se detuvo una semana en la Capital mientras el Gobernador Sanz le ponía el *Cúmplase* a su diploma, autorizándole en esta forma a ejercer la profesión. Luego partió, sin perder tiempo, para Arecibo, en donde por catorce años, se dedicó con ardor y fecundo rendimiento a practicar su carrera, ganándose por clientela, con sus acertados diagnósticos, a las mejores familias de la Villa y de sus pueblos limítrofes, entre ellas la del Marqués de las Claras y al Juez de Arecibo, don Enrique Díaz Guijarro. Fué su primera obra cívica el fundar y dirigir el Hospital de la Monserrate en la Villa del Capitán Correa. Además de sus actividades médicas, Coll y Toste se superó prestando valiosos servicios a la comunidad, ocupando cargos civiles y de carácter educativo, como el de Supervisor de Escuelas. El 11 de julio de 1887 la Reina Regente de España le premió sus desvelos otorgándole el título de Comendador de la Orden de Isabel la Católica.

En Arecibo nacieron todos sus hijos: José, Luisa, Cayetano, Enriqueta, Victor y Francisco. Con el propósito de ingresar sus dos hijos mayores en el Instituto Civil, Coll y Toste se traslada a San Juan, donde pronto, su prestigio de médico le asegura, también una numerosa y distinguida clientela. En la Capital tuvo aún mejores oportunidades para poner su integridad y saber al servicio de la patria. Comenzó laborando con los Diputados a Cortes para que la Audiencia fundara el puesto de *Médico Forense*, y el 14 de agosto de 1893 recibió su recompensa al ser nombrado, por Real Orden, Médico Forense de la Real Audiencia Territorial de Puerto Rico.

Cuando en 1897 se firmó el famoso pacto Sagastino dividiendo a la isla en dos departamentos regionales, Cayetano Coll y Toste fué nominado Gobernador Regional de la parte Norte de la Isla, dignidad que honró hasta concedérsele a su país la autonomía, en los tiempos del General Macías. Ya para aquellos días Luis Muñoz Rivera había fundado el Partido Liberal, siendo nuestro prócer uno de los directores del partido.

Harto difíciles fueron aquellos años de superchería colonial en que los puestos políticos estaban en manos de los conservadores españoles, sobre todo los alcaldes y secretarios municipales. Le cupo en suerte al Dr. Coll y Toste sustituir a estos funcionarios con puertorriqueños.

Bajo el régimen autonómico fué miembro del Gabinete como Subsecretario de Agricultura y Comercio. Pero Puerto Rico no disfrutó largo tiempo de su libertad política. Al entrar los norteamericanos en la Isla el 25 de julio de 1898, nuestro país fué cedido a los Estados Unidos, y así todos nuestros derechos conquistados bajo el régimen español. Vino inmediatamente un gobierno militar supremo y absoluto, y Coll y Toste, creyendo ver en este gran pueblo americano un paladín de las libertades humanas y civiles, cooperó, esperanzado, con su gobierno, que lo nombró Secretario de Hacienda el 15 de noviembre de 1898. Además, aún dentro de ese gobierno militar se conservó la organización de la administración autonómica, y con excepción del poder legislativo, que fué totalmente suprimido, el Gabinete Insular, con el Gobernador Militar Americano, regían al país. Coll y Toste se mantuvo en su puesto de Secretario de Hacienda hasta que todos los servicios civiles fueron consolidades y puestos en manos de una persona que los había de desempeñar con el título de Secretario Civil del Gobierno Americano, cargo que también desempeñó hasta que el Congreso de los Estados Unidos decretó un régimen de gobierno civil para Puerto Rico, siendo escogido entonces para Comisionado del Interior, distinción rehusada por el eminente patriota que prefirió retirarse a su tranquila vida de hogar.

Siendo Secretario Civil, Coll y Toste fundó y dirigió por muchos años el Asilo de Niños Huérfanos, ubicado entonces en la Parada 19 de Santurce, logrando que se le concedieran becas anuales para los alumnos de dicha escuela que se destacaran en sus estudios y buena conducta para estudiar en los Estados Unidos.. Entre estos jóvenes aprovechados los hubo que sobresalieron más tarde en nuestro gobierno.

En 1913, a la edad de sesenta y tres años, recibió del Gobernador Colton su nombramiento de Historiador Oficial de Puerto Rico. Fué entonces que empezó a publicar su *Boletín Histórico.*

Sus aciertos profesionales, como sus luchas cívicas en los partidos políticos que militó, responden elocuentemente a la fuerte personalidad que fué, en diversos campos, Cayetano Coll y Toste. Su labor histórica fué altamente reconocida en el extranjero, siendo Presidente de la Sociedad de la Historia, Correspondiente de la Real Academia Española de la Historia, y de la Academia Nacional de la Historia, de Cuba y Venezuela. Presidió la Sociedad de Escritores y Artistas en su país, así como el Ateneo Puertorriqueño. Su labor en pro de nuestro Ateneo la resume en una carta que dirigiera a don Jesús María Lago y que aparece publicada en el tomo V de su *Boletín.* "En esta nuestra tradicional Casa es que tenemos que defender con tesón nuestro idioma y nuestra personalidad," dice. Luego nos relata sus esfuerzos en conseguir un solar en Puerta de Tierra para levantar el actual edificio de la docta casa, cristalizando sus sueños en el segundo año de ocupar la Presidencia del Ateneo, siendo paladín de la idea en la Cámara Insular el *Speaker* don José de Diego. En los cuatro años que fué Presidente, Coll y Toste mejoró la biblioteca y los saloncillos de clases, construyendo *ad hoc* una sala para la Secretaría. Anaqueles especiales se dedicaron a una Biblioteca de Autores Puertorriqueños y se ensanchó el local de enseñanza. Con relativo éxito se dictaron cursillos en leyes y medicina legal, así como en dibujo y comercio. Las actividades eran numerosas, celebrándose veladas, conferencias, audiciones musicales, recepciones a poetas y escritores extranjeros. Se estimularon, además, certámenes de literatura y bellas artes, con muy buenos premios para los laureados.

Como soslayáramos antes, Coll y Toste llenó con sobriedad y discreción, puestos claves en el gobierno de su tierra. Fué Delegado a la Cámara de Representantes, y el gobierno de Venezuela lo condecoró con la gran Cruz de Simón Bolívar.

A los ochenta años, el incansable hombre de letras continuaba su misión de investigador en la Capital de España, donde le sorprendió la muerte rodeado de sus dos hijas y algunos de sus nietos. Ocurrió, providencialmente, el 19 de noviembre de 1930, día memorable que tanto amó, por ser el aniversario del descubrimiento de su Borinquen querida. Era una coincidencia feliz, como si Dios le hubiera concedido un último deseo.

El gobierno de Puerto Rico, como un homenaje póstumo a su memoria, se hizo cargo del traslado de sus despojos de Madrid a San Juan. A la sazón gobernaba la isla nuestro buen amigo Teodoro Roosevelt, hijo. Por orden del Secretario de la Guerra de los Estados Unidos, una compañía del Regimiento del 65 de Infantería, con música y banderas, le rindió honores militares en el muelle. Fué Coll y Toste el que, durante la ocupación militar americana, recomendó la organización del Regimiento Provisional de Puerto Rico, hoy 65 de Infantería, cubierto de sangre y gloria en los campos de Corea.

A grandes rasgos hemos prologado la vida de este puertorriqueño ejemplar. Incompleto quedaría nuestro trabajo si no dijéramos algo sobre su obra, trasunto fiel de su vida aplicada al estudio y al servicio de su país.

Cayetano Coll y Toste no fué un gran filósofo en el sentido de crear una nueva filosofía. Su ardimiento cívico le estimula a penetrar la verdad histórica, y no sólo reconstruye la historia como método, dentro de la más rigurosa disciplina, sino que pondera, con singular equilibrio e inteligencia comprensiva, la íntima fisonomía nacional de su pueblo, la evolución gradual de sus pensamientos, de sus actos, de sus aspiraciones. Es el humanista de refinada cultura, que nos interpreta los hechos, quintaesenciados en el crisol de sus más puros sentimientos. En su *Boletín Histórico*, en sus *Leyendas Puertorriqueñas*, en sus *Anotaciones* o escritos en general, nos tropezamos constantemente con las reflexiones sensatas y sólidas del pensador, que nos dan un retrato cabal de su contextura moral. El patriota está siempre en evidencia. Su concepto de la patria, su manera de sentirla, reflejan su alma lírica; cuanto a ella se refiere es siempre el poeta que le canta, el galán consecuente que la ama. Por ella prende la simiente de la confraternidad, pues no sólo exalta su historia, sino que propaga el culto a sus compatriotas insignes. Ama a España, en lo que ella significa para su pueblo, sin aceptar, jamás, la colonia. Justiprecia, igualmente, a los Estados Unidos, porque ellos garantizan la libertad. En ningún momento aplaude el desorden porque cree, religiosamente, en los ideales democráticos.

Fué, ante todo, el *Historiador*. Así es como mejor se le conoce, en y fuera de Puerto Rico, a pesar de que procedió a publicar su obra capital, el *Boletín Histórico de Puerto Rico*, a los sesenta y tres años de edad. Su caudal de conocimientos históricos, su vasta cultura dieciochesca, sus investigaciones conscientes y minuciosas en el terreno de la ciencia y de la historia patria fueron un proceso lento de asimilación durante medio siglo de vida aplicada y ordenada, que le pusieron en condición de producir al cabo de ellos una obra considerable de conjunto para nuestra patria. Tuvo bastante que rectificar y dejó esclarecido muchos puntos oscuros y fundamentales del pasado, porque no se puede pretender escribir la Historia ignorando los errores históricos. A él le tocó esa penosa labor, la de investigar y rectificar, en un ambiente hostil, de tribulaciones políticas y escasos medios culturales, sin más estímulo que un recio sentido del deber y un gran amor a la islita en donde quiso Dios que naciera.

Él mismo nos expone en su *Prefacio* del primer tomo del *Boletín* la gestación de su recopilación de documentos y noticias históricas. En 1896 se inició el *Boletín* bajo el título de *Repertorio Histórico de Puer-*

to Rico. Por ser obra de madurez, y acosado por la prisa, adolece de fatigoso desorden, que está, en parte justificado en su *Dedicatoria al Pueblo Puertorriqueño*. "En esta obra puedes estudiar detenidamente tu pasado, para corregir lo que debas corregir, que ninguna empresa humana es perfecta," nos advierte, consciente de las limitaciones del hombre.

Las primeras palpitaciones del historiador se revelan en sus *Crónicas de Arecibo* en 1891. Dos años más tarde, en *Colón en Puerto Rico* nos relata el segundo viaje del Gran Almirante "al reflejo de las historias compulsadas," admitiendo las fuentes históricas que merecen su confianza. En 1897, estando en circulación sus tres cuadernos del *Repertorio Histórico* sale a la luz su *Prehistoria de Puerto Rico*, tanteo serio y logrado sobre el Boriquén autóctono antes de ser descubierto por Colón, premiado por la *Sociedad Económica de Amigos del País*, en el certamen público que auspiciara el 8 de mayo de 1897. Escogió como lema para este ensayo un pensamiento norte a través de toda su obra: "Por todas partes la mirada del investigador encuentra la *evolución*: en las tierras del planeta y en las sociedades humanas." Para 1909, en su *Instrucción Pública en Puerto Rico hasta* 1898, procura dilucidar el génesis de nuestra instrucción pública. Otros tratados breves, de carácter histórico, sociológico y filológico, enriquecen las páginas de su *Boletín*, que consta de catorce volúmenes, quedando el último inconcluso, por sorprenderle en Madrid la muerte.

Como poeta, sus composiciones se encuentran esparcidas en diversas revistas y periódicos de fin de siglo. Todos sus versos, aún inéditos, fueron agrupados por él bajo el título de *Mi torre de Silex*, que se divide en tres partes, con los siguientes subtítulos: *De mi hogar; De mi patria; De mi culto a lo bello*, abarcando las tres grandes pasiones del vate. Para estudiarle es preciso determinar la época ingrata en que le tocó vivir. Su esencia poética, —si alguna—, la encontramos, no en sus versos discursivos o quintanescos, sino en la ternura con que canta todo lo que ama, especialmente cuando evoca el paisaje de su tierra, o lamenta sus infortunios. Es arte de emoción y conocimiento.

Pero a nosotros lo que nos interesa en Coll y Toste es su aspecto de cuentista, ¿Tienen algún valor literario sus cuentos o son meras crónicas de información? ¿Cuál es la importancia real y positiva de las leyendas? La ansiedad del historiador en ordenar y rectificar nuestra historia, aún en pañales como su literatura, no le permitieron entregarse de lleno al cultivo del arte por el arte mismo, conllevando su misión un ideal más práctico aún, el de reconstruir con su pesquisa inteligente y tenaz la formación de nuestra conciencia nacional. El patriota se imponía siempre al artista. Leyendo sus narraciones históricas nos percatamos de su habilidad para contar en lenguaje fácil y directo, ateniéndose deliberadamente a la claridad de expresión. No era su meta sugerir, ni refugiarse en mundos ignotos o soñados, ni descubrirlos, ni puede su actividad literaria manifestarse libre y pura, untada como está de interés y enseñanzas morales, porque su primer cuidado fué no omitir el más mínimo detalle en la exégesis que pudiera dar a sus lectores de aquellas cosas fundamentales que suponen ser médula misma de nuestra vida y de nuestras costumbres. Su aspiración a reconstruir lo histórico lo impele, necesariamente, a caer en elementos extrapoéticos. En el *Prólogo* a sus *Leyendas puertorriqueñas,* que es la obra que lo sitúa definitivamente en nuestra literatura, elabora el motivo que lo estimuló a escribir sus cuentos, noventa perlas que a manera de collar engalanan nuestra historia regional.

El poeta-historiador se acoge al género de la leyenda que cultivaron los románticos, especialmente el Duque de Rivas y Zorrilla, por serle este campo propicio a la actividad de su espíritu. Su técnica de cuentos cortos, logrados a manera de cuadros, esquemáticos a veces, responden a su intención, así como su estilo circunspecto. Sus fábulas legendarias empiezan con la Colonización, recreando gallardamente las proezas y amoríos de los Conquistadores, y terminan con el siglo XIX, el que le tocó vivir, y que explica la cantidad de notas autobiográficas que en ellas se encuentran. Enmarcados en su tiempo, los temas principales se podrían reducir a los siguientes: el amor, la religión, la superstición, la piratería, el indio y el negro. El juego y otros vicios se discuten con finalidad higiénica. En sus estampas regionalistas se entrecruza el realismo prosaico con el recurso constante a las reminiscencias, que es el refugio lírico del artista.

Empero sus posibles fallas como "arte puro," Coll y Toste cumple con su propósito de enseñar la historia de su tierra en forma amena y divertida, y en su culto a la patria, hace obra permanente.

Septiembre 1952

EDNA COLL

EL MATADOR DE TIBURONES
(1640)

I

Ardía la Aguada ([1]) en fiesta. Frente a la hermosa bahía estaban anclados los galeones que conducían al Virrey de Nueva España y al Obispo de Tlasteca. Los nobles hidalgos desembarcaron en lo que la armada se aprovisionaba de agua y bastimentos para seguir viaje a Veracruz.

El Virrey, marqués de Villena y duque de Escalona, quiso dejar memoria de su llegada a un puerto de esta isla, y pidió al Teniente a Guerra ([2]) un niño para apadrinarlo y protegerlo. Se buscó el infante, y le echó las aguas bautismales el obispo acompañante don Juan Palafox y Mendoza. Al niño se le puso por nombre don Diego de Pacheco, como su ilustre padrino. Todo esto ocurría allá por el año de 1640. ([3])
El gobernador don Agustín de Silva y Figueroa y el prelado don Fray Alonso de Solís estuvieron en la Aguada a cumplimentar a tan altos dignatarios.

Los rumbosos festejos habidos, fueron ruidosos y de ellos hablan los cronicones de la isla.

II

En el banquete que se dió en la Casa del Rey ([4]) en honor de los representantes de S. M., dijo don Diego de Pacheco:

—Señores, lo que más me ha llamado la atención en este largo viaje ha sido, que dos días antes de arribar a estas playas, hemos pescado un pez horrendo, que llaman tiburón. Tenía cuatro varas de largo y la tremenda boca guarnecida de unas hileras de dientes movibles. Muerto y echado sobre la cubierta del barco infundía pavor tan feroz animal.

—Pues, señor Virrey, aquí en la Aguada, hay quien lucha con un tiburón y lo vence —contestó el Teniente a Guerra.

—¿Qué dice usted, amigo mío? —replicó el Virrey sorprendido; y añadió:— ¿Puede ser eso verdad? Gustaríame presenciar tan sorprendente combate. ([5])

—Tenemos un pescador ribereño, que suele batirse cucpo a cuerpo y siempre con feliz éxito.

—Pues llámelo usted, que deseo conocerlo.

III

Rufino, el indio, era un matador de tiburones. Moraba en la aldehuela Aguadilla, frente al surgidero de las naos, y vivía de la pesca. Mocetón de más de veinte años, era de baja estatura, ancho de espaldas, fornidos miembros y color achocolatado. A simple vista, se descubría en él el cruce de las razas pobladoras de esta isla. Ojos grandes, nariz aguileña, labios gruesos, pelo negro y abundante. Simpático, humilde y complaciente. El Teniente le mandó llamar y le dijo:

—Muchacho, nuestros nobles huéspedes desean verte peleando con un tiburón. ¿Estás dispuesto a ello?

—No, señor.

—¿Por qué? —interrogó con extrañeza el Teniente.

—Porque no tengo mis escapularios de la Virgen del Carmen.

—¿Y dónde están?

—Estaban muy deteriorados y los envié al Convento de Monjas Carmelitas de la Capital para que me los compusieran.

—Te daré cuatro pesos fuertes, si peleas mañana con un tiburón en presencia del Virrey y del Obispo que van para México.

—No puedo, mi Teniente; necesito mis escapularios de la Virgen del Carmen.

—Te daré ocho pesos...

—¡No puede ser, señor!

Presentado Rufino al Virrey, enterado éste de la negativa rotunda del pescador, lo trató con sumo afecto y le dijo sugestivamente:

—Mañana pelearás con un tiburón y además de los ocho pesos fuertes que te dará el Teniente, yo te regalaré una onza de oro española.

IV

El matador de tiburones se pasó toda la noche pensando en su aciaga suerte. Cuando se le presentaba oportunidad de ganar un puñado de dinero, que le sacaría de tantos apuros, se encontraba sin sus queridos escapularios de la Virgen del Carmen, sin los cuales jamás había salido al mar, ni siquiera a pescar.[6]

Descansó poco. Levantóse temprano y buscó su daguilla de combate, que llamaba mi alfiler. Este era un largo puñal, hecho de una escofina y con un fuerte cabo de hueso. Tenía una pulgada de ancho y trece de largo. Lo aceitó y lo guardó en su vaina de cuero; tenía en el cabo una manija, de curricán, para asegurarlo en la muñeca cuando se arrojaba al mar a combatir a los escualos.

Salió y fuése a la plaza. El mar estaba como una lámina de acero, terso y límpido. Los galeones reales lucían sus vistosas banderolas y los barcos pescadores regresaban al puerto con su pesca. Entró en un bodegón a desayunarse.

V

Como a las diez de la mañana hubo algazara en la playa. Los que atalayaban avisaron al Teniente a Guerra que un tiburón había entrado en la bahía. El Teniente avisó a sus hidalgos huéspedes y toda la comitiva se dirigió a la playa.

Rufino no había salido del bodegón. Allí estaba pensativo, con las manos sujetándose la cabeza. El ruido de la playa llegaba a él como una provocación; pero el no se movía. La gritería iba en aumento.

El dueño del bodegón tocó en el hombro a Rufino. Este levantó la cabeza y exclamó:

—¿Qué hay?

—Que hoy vas a ganar mucho dinero.

—No sé...

Entonces se levantó, nervioso y preocupado, y se alejó de allí. Se dirigió a la playa. La multitud lo invadía todo. Llegó a la dársena de los botes y miró al horizonte, poniéndose la mano de visera sobre la frente. Apretó los puños con ira. Había divisado la aleta negra del tiburón sobre las ondas. El voraz animal husmeaba qué comer cerca de los galeones. El Teniente ordenó que le arrojasen un perro chino para atraerlo a la orilla. La orden se había cumplido. Tan pronto lo divisó el monstruo, se hundió la negruzca aleta, para virarse el escualo y poder devorar al infeliz perrillo. Un espumarajo de sangre manchó la superficie del agua.

VI

Rufino lo había visto todo. Le brillaron los ojos de coraje con deseos de combatir la fiera. Corrió a la punta de la dársena. Se desvistió rápidamente y daga en mano se lanzó impetuoso al mar. El gentío aplaudió con estrépito.

La aleta negra del tiburón, como una velilla latina volvió a aparecer sobre el mar. Rufino nadó con bravura hacia ella. De repente desapareció la siniestra aleta negra y también zambulló el pescador. El agua se movía convulsivamente. Debajo de la superficie se desarrollaba la encarnizada lucha. Rufino era un gran buzo, pero la ansiedad y expectación eran muy grandes.

Apareció sobre las ondas el muchacho y se vió que nadaba apresuradamente hacia tierra. Al llegar a la orilla se desmayó. El pueblo acudió en tropel en torno del pescador, que estaba muy pálido. Hubo necesidad de auxiliarle. Su boca estaba teñida de sangre. Vuelto en sí, se sentó transido de ansiedad. Miró su daguilla. Estaba límpido el acero, pero rojo el hueso del cabo. Escupió y al ver que escupía sangre exclamó triste:

—¡Ah! ¡mis escapularios, mis escapularios...!

De pronto gritó con alegría:

—¡Allí está...! ¡Allí está. ! ¡Lo maté...! Pero, ¡ay! ¡el también me ha herido...!

Rufino, al clavar por segunda vez su puñal al monstruo moribundo, recibió un aletazo en el pecho que en poco le priva del conocimiento, y, perdido el sentido, se hubiera ahogado.

El gentío vociferaba atrozmente. Sobre la superficie de las aguas se iba destacando el horrible animal con su espantosa boca abierta, privado de la vida. Diestros ribereños, en sus pequeños esquifes, empezaron a remolcarlo hacia tierra.

VII

El Virrey se acercó al grupo donde estaba Rufino, puso su diestra sobre la cabeza del matador triunfante, y le dijo:

—Eres un valiente, pero no vuelvas a repetir esa hazaña.

Y le entregó dos onzas españolas. Al poco rato la gorra del pobre ribereño estaba llena de dinero. Hasta los marinos de los galeones, que habían presenciado su heroicidad. le enviaban su regalo en toda clase de monedas.

Fué conducido Rufino a su bohío en brazos de sus amigos. Estuvo gravemente enfermo por algún tiempo, pero su recia naturaleza venció el mal y cicatrizó su pulmón herido. Compró redes de pescar y un buen bote y no volvió a combatir con los monstruos del mar. En el comedor de su cabaña, pendiente del seto, guardaba como trofeo de sus victorias la célebre daguilla rodeada de dientes de tiburones.

NOTAS

(1) En los primeros tiempos de la colonización muchos barcos que se dirigían a la Tierra Firme se detenían en Puerto

Rico, frente al poblado Aguada donde descendiera por primera vez a tierra el Almirante Don Cristóbal Colón en su segundo viaje a las Indias Occidentales. La actual Aguadilla era una pequeña barriada. Pasando el tiempo Aguadilla fué tomando importancia hasta convertirse en la gran ciudad y la Aguada fué un pueblito de menor importancia. Hoy la Aguada es un municipio de tercera clase, pero muy rico debido a que en su jurisdicción está emplazada la Central Coloso, una de las más grandes factorías azucareras de nuestra isla.

(2) Los Tenientes a Guerra eran oficiales que asumían el gobierno en las distintas poblaciones de la isla, sujetos a la jurisdicción del gobernador en la capital.

(3) Era una costumbre de los grandes magnates españoles que venían a las Américas, en ocasiones de fiestas y celebraciones, apadrinar a un niño. Todavía el año 1893 cuando vino a Puerto Rico la Infanta Doña Eulalia de Borbón en camino hacia la Exposición de Chicago, donde representaría a la nación española, en una gran fiesta que se le ofreció en unión de su esposo el Infante Don Antonio, en el palacio veraniego de los capitanes generales en Río Piedras, hoy desaparecido, llamado La Convalecencia, quiso apadrinar a un niño de color, que le hizo gracia, como de tres años de edad, lo cual no pudo llevar a cabo por estar ya bautizado. Luego trató de llevárselo consigo, pero la madre del niño se negó rotundamente a entregárselo.

(4) Se llamaba Casa del Rey al edificio donde se reunía el Ayuntamiento o Cabildo y donde tenían sus oficinas los Tenientes a Guerra. Todavía después del cambio de soberanía el autor de estas notas recuerda que los viejos de su pueblo de Arecibo llamaban al edificio del Ayuntamiento la Casa del Rey.

(5) En las aguas de Puerto Rico, como en todos los mares tropicales, abundan los tiburones, y los hay de tamaños excepcionales. En todos los puertos siempre ha habido marineros audaces y valientes que los persiguen y los pescan aunque la

costumbre de luchar con ellos cuerpo a cuerpo ha desaparecido.

(6) Nuestros pescadores son sumamente devotos a la Virgen del Carmen y, por lo regular llevan siempre medallas de la santa imagen, confiados en su protección. En aquellas épocas suponemos que esta inclinación religiosa era aun más profunda que en nuestros tiempos actuales. Al pescador de la leyenda no le seducía la posibilidad de ganar una buena cantidad de dinero teniendo que luchar contra su enemigo sin estar bajo la protección de la Virgen.

EL PRODIGIO DE HORMIGUEROS
(1640)

I

En la Casona de Gerardo González todo era llanto y desolación. Se había desaparecido de la casa paterna, hacía unos cuantos días la alegría del hogar, la niña María Monserrate, la linda Monsita, sueño de oro de su padre, bella criatura de ocho años de edad, de ojos azules como el turquí de los cielos y de piel de rosa y lirios.

Todo el vecindario tomó parte en el duelo aflictivo de Gerardo González. Peones y estancieros amigos se echaron a escudriñar los montes y malezas de la abrupta sierra inmediata; y al cabo de quince días de ausencia encontraron sentada junto a una gran ceiba, cantando una tonadilla, a la traviesa María Monserrate.

Una excavación profunda en el grueso tronco del gran árbol tropical la guarecía de la lluvia y del relente nocturno. Parecía hecho el hueco para ella.

La muchachita vivaz, no tenía miedo a nada y esperaba tranquila y valerosa a que su familia la fuera a buscar en aquel escondrijo.

II

Don Gerardo, con los ojos llenos de lágrimas, y riéndose al mismo tiempo, le preguntó:

—Pero, hija del alma, ¿no te daba miedo la obscuridad de la noche?

—No, papita; porque aquí de noche hay una dulce claridad que sale de aquella cueva.

—Pero, mi alma, ¿no tenías hambre?

—No, papita; porque de esa misma cueva salía una mujer, vestida de blanco, que me daba frutas dulcísimas y me acariciaba el rostro con sus manos, que olían gratamente.

—Pero, ¿tú le viste la cara? ¿No la conoces? ¿A quién se te parece?

—Sí, papita; tiene los ojos negros y brillantes, muy dulces en el mirar; y se sonreía conmigo; es muy linda, pero el color es prieto como el café.

—¡Ah! —exclamó don Gerardo lleno de gozo y fe—, es Nuestra Señora de la Monserrate que te ha socorrido. Mi patrona. ¡Alabado y bendito sea su nombre por los siglos y siglos...!

III

Gerardo González era el fundador de la Ermita de Nuestra Señora de la Monserrate en la hermosa planicie de Hormigueros. [1] Además era el mayordomo de la capilla que estaba llena de votos y ofrendas.

de sus feligreses. El Vice-Real Patrono había puesto bajo la custodia de González, el cuido del Monasterio.

La fe religiosa, pura e inquebrantable de nuestros viejos, veía el prodigio de la Reina de los Angeles interviniendo de continuo en las acciones humanas. Así ocurría entre Griegos y Romanos con los dioses del Paganismo. El hombre es un ser religioso por naturaleza.

¡Cuán hermoso y consolador es dormirse sobre tan grata almohada! Pero el mét do de Descartes, estableciendo la duda, como principio de toda investigación ardua y haciéndonos ir siempre en nuestros estudios físicos y psicólogos de lo conocido a lo desconocido, ha rasgado sin escrúpulos nuestras más firmes creencias.

Todavía está en pie el célebre Monasterio, y las rogativas a la Ermita de la Monserrate, en demanda de salud y solución celestial a algunos de nuestros conflictos, prueban que la fe maciza no se ha perdido del todo. Aun queda mucho oro en nuestros corazones para venerar devotos aquellos paredones que se levantan en la colina de Hormigueros, patria del prócer Segundo Ruiz Belvis; y llevarle nuestros ramos de flores a la morena Virgen Madre, que socorrió tan oportunamente a la encantadora niña María Monserrate González. ¡Qué extenso y variado es el reino de la ilusión...! Todavía nuestros devotos de este culto pueden hacer sus romerías a esta célebre Ermita. El obispo monseñor Blenk pudo, no hace mucho tiempo, organizar una espléndida peregrinación a este Monasterio. (2)

NOTAS

(1) Hormigueros es un pequeño pueblo situado en el recodo de la carretera que va de Mayagüez a San Germán, por la costa Oeste de la isla. Guarda una de las tradiciones religiosas más conmovedoras de nuestra isla, conservando una vieja capilla y convento donde todavía acuden los fieles a ofrecer sus plegarias a Nuestra Señora de la Monserrate.

(2) El alma buena e ingenua de nuestros campesinos esta por encima de todas las disquisiciones filosóficas, que se quiebran ante la coraza de su fe. Y hoy, como en los tiempos de la leyenda, la voz infantil de la niña María Monserrate González puede más en sus corazones que todos los métodos filosóficos. Por eso, la devoción a la Virgen de la Monserrate es tan profunda en nuestro pueblo.

BECERRILLO

(1514)

I

El servicio que han prestado en las guerras los animales al hombre ha sido singular: perros, leones, elefantes y toros han jugado gran papel en célebres batallas. El perro, fiel compañero, acompañó a su dueño en todas las guerras. Los babilonios, los egipcios, los cartagineses, los griegos, los galos y los roma nos exploraron esta bella cualidad del animal más sociable que hay en la naturaleza y lo utilizaron en sus campañas.

En la conquista de América desempeñaron un gran papel las cuadrillas de perros de presa. El mismo Cristóbal Colón las usó en la primera batalla que se dió en el Nuevo Mundo, en la que doscientos cristianos, veinte caballos y veinte lebreles de presa tuvieron que pelear contra cien mil indios quisqueyanos en la Vega Real. Era una guerra anómala en la antigüedad, del hombre civilizado contra el hombre salvaje y necesitó domeñarlo, a sangre y fuego, con su caballo, su lebrel, su lanza y su espada; refriegas de emboscadas y sin cuartel, de uno contra mil, del fuego del arcabuz contra la flecha envenenada: guerra de dominación, de absorción. Lucha terrible de dos razas; y tenía que ser sangrienta. Era preciso usar todos los recursos del arte de combatir.

II

En el alzamiento de los indígenas del Borinquén prestó señalados servicios un perro llamado Becerillo, que se llegó a pagar a su dueño por cada entrada que se hacía en el campo enemigo el mismo sueldo que a un ballestero. Era de un instinto feroz para el ataque y parecía tener juicio y entendimiento, como dice Oviedo el cronista. Se quedaba extático contemplando una india joven y le ladraba a las feas.

Becerrillo procedía de La Española; era de tamaño regular, vivo color bermejo, entre amarillo y rojo, y boquinegro. Los ojos centelleantes. Olfateaba a los indios como un buen lebrel de caza. Seguía un rastro a las mil maravillas, apresaba un fugitivo por un brazo como un gendarme y lo llevaba al campamento de los cristianos y si no se dejaba conducir lo despanzurraba fieramente. Las hazañas de este can se contaban entre los conquistadores y hasta refieren los cronicones que Vasco Núñez de Balboa ([1]) tenía un hijo de él, llamado Leoncillo, que no desmerecía del valor de su padre y que también ganaba en Tierra Firme paga de ballestero. Sólo le faltaba saber leer una carta.

III

Terminada la pacificación del Borinquén quedó Becerrillo en la estancia dél capitán don Sancho de Arango. Era éste un castellano de los de pelo en pecho, arrojado y decidor. Hidalgo de buena cepa, que quería a su perro como querían los caballeros de espadón, con ferviente idolatría.

No salía una vez de su casa don Sancho de Arango, que Becerrillo no fuese delante del corcel en observación, como adalid que husmea el peligro, a la par que brincando y ladrando de alegría.

De noche se colaba junto a la puerta del dormitorio de su amo y ¡guay! del que se acercara por allí, que los rugidos sordos y prolongados de Becerrillo le hacían retroceder.

IV

Una mañana, al romper el alba, una multitud de caribes, procedentes de las islas de Barlovento y capitaneados por el bravo cacique Cazimar, penetrando por el Daguao, cayó sobre las estancias de Pero López de Angulo y Francisco de Guindós, pobladores de aquella comarca. [2] La guasábara fué empeñada entre castellanos e indios. Murió mucha gente de una y otra parte. Angulo luchó largo rato cuerpo a cuerpo con Cazimar, sin poderse herir ninguno. Acudiendo Guindós en auxilio de Angulo, atravesó al audaz cacique de una lanzada. Caído el jefe de los caribeños, desmayaron sus huestes y empezaron a correr hacia las canoas.

Ayudados, por fin, del Capitán don Sancho de

Arango y del feroz Becerrillo batieron triunfantes a los invasores, que tuvieron que replegarse hacia la playa en vergonzosa huída para ganar prontamente sus piraguas.

V

Al poco tiempo volvieron los caribes a invadir la costa de la Isla, comandados por el cacique Yaureybo, que venía a vengar la muerte de su hermano Cazimar y a saquear el país.

Con fuerza mayor de gente, bien bravía, dió Yaureybo su golpe de mano sobre las estancias del lado de Saliente. La lucha fué terrible. Sucumbieron bajo las macanas caribeñas muchos castellanos. Cayó uno de los más ricos estancieros, don Cristóbal de Guzmán, herido, y cargaron con él los indios hacia las canoas. Las negras y las indias eran conducidas en montones. Los ganados en gran número. El botín fué inmen o.

Sabedor el capitán don Sancho de Arango de lo que ocurría en las estancias vecinas y de la terrible depredación caribeña, vistióse de guerra, montó rápido en su caballo de batalla y acompañado de algunos colonos y del valiente Becerrillo corrió a socorrer a sus compañeros. Alcanzó la mesnada enemiga en la playa, triunfante de los castellanos y embarcando su rica presa. Penetró lanza en ristre entre los caribes al grito de ¡Santiago! ¡Santiago! [3]

Volvió a empeñarse la guasábara. Los caribes eran numerosos y aguerridos y aunque don Sancho hacía hondas brechas entre ellos, por fin, en una de sus entradas, fué herido en un muslo de dos violentos flechazos, a pesar de que pasó de parte a parte a su agresor. Becerrillo, al ver cómo manaba la sangre de una pierna de su amo, comprendió que estaba herido y redoblando sus bríos cargó de nuevo contra la hueste enemiga, mordiendo a diestro y siniestro, furiosamente. Parecía un dragón mitológico, más terrible que Cerbero, el guardador de las puertas del infierno y del palacio de Plutón.

Aterrados los caribes y cundiendo el pánico entre ellos precipitaron su embarque a tropel en las piraguas. Todavía dentro del mar penetró Becerrillo y agarró a un indio por la pantorrilla, tirando de él con rabia. Volvióse el caribe, repentinamente, y le clavó una flecha envenenada en el costado.

VI

Arrojado el invasor del territorio, aunque llevándose desgraciadamente a don Cristóbal de Guzmán, herido, y el inmenso botín del saqueo, los castellanos atendieron a curar sus maltratados combatientes.

Las dos heridas de don Sancho de Arango eran de

flechas envenenadas. Estaban ya muy amoratadas y enconadísimas. Se las impregnaron con grasa caliente sacada de los cadáveres indios y fueron tratadas en seguida al fuego con un cauterio rojo. A pesar de estas precauciones, el veneno mortífero había penetrado ya en la circulación y la muerte se apoderó del valiente capitán. El feroz Becerrillo sucumbió de igual modo que su amo.

Al llegar la noticia a conocimiento de los demás pobladores de la Isla se ocuparon poco de la muerte del hidalgo don Pancho, que pasó casi desapercibida. En cambio, fué muy sentida de la de su can, que durante tanto tiempo había cobrado paga de ballestero y se le consideraba como un conquistador heroico. Se hubiera preferido, dice el Cronista, que hubieran sucumbido dos o tres cristianos más a que falleciera el bravo Becerrillo.

¡Oh, días trágicos del pasado...!

¡Y aun hoy se ven perecer desgraciadamente los hombres a millares, en una guerra de exterminio y desolación, y se aprecia más la vida de un Becerrillo que la de dos o tres cristianos...! ¡Cuán lentamente progresa la Humanidad en lo moral...!

NOTAS

(1) Vasco Núñez de Balboa fué una de las grandes figuras de la conquista y el primer español, que después de una

marcha épica a través del Istmo de Panamá, logró ver las aguas infinitas del Mar Pacífico.

(2) Durante los primeros años de la colonización y, seguramente, antes de que los españoles pusieran pies en tierra del Boriquén, los indios caribes, procedentes de la Guadalupe, que eran guerreros feroces y despiados, llevaban a cabo incursiones en nuestra isla incendiando caseríos y destruyendo cosechas. Fueron muchas las invasiones de estos salvajes de que dan cuenta los primeros cronistas.

(3) Los capitanes españoles acostumbraban a iniciar el combate invocando al Apóstol Santiago, patrón de España.

EL SANTO CRISTO DE LA SALUD
(1766)

I

AL final de la calle del Cristo, en San Juan, donde forma esquina con la de Tetuán, antes de los Cuarteles, existe una capilla cerrada. Un arco romano que sostiene una azotea, obstruye la vía pública en ese punto. La pátina de su antigüedad le da a esta ermita el tono de monumento histórico.

En los primeros tiempos de su construcción no existía más que la capillita levantada sobre el reborde de la muralla de vieja tapiería. Mano piadosa agrandó posteriormente el recinto con un arco romano y una pequeña azotea.

Allá por los años de 1753 vino a crearse este oratorio. Una tarde de grandes fiestas de San Pedro y San Pablo, se corrían caballos a escape en esta calle. Venía a ser el hipódromo de aquella época. La calle estaba sin empedrado, al natural, arena en unos sitios, barro y zanjones en otros y la empinada cuesta junto al Convento de las Monjas Carmelitas. No había aceras tampoco.

Los jinetes se agrupaban frente al murallón, y de dos en dos, despedían sus cabalgaduras a escape en dirección del Convento de Dominicos. La meta era la puerta principal de Santo Tomás de Aquino, hoy San José, suplantación que hicieron los Padres Jesuítas en 1860. Los jinetes regresaban después al paso, al punto de partida, para empezar de nuevo su vertiginosa contienda.

Unos atrevidos jóvenes, que montaban briosos corceles, una vez descendida la cuesta al venir al punto de partida, pusieron sus caballos a galope a ver cuál llegaba primero junto a la muralla. Sabido es que el murallón por el lado sur da al Presidio y tiene una gran elevación. Para los tiempos que nos ocupan no existía el Correccional. Uno de los corceles, el del arrogante mozo Baltasar Montañez, se desbocó y al llegar al pretil dió un terrible bote, salvó el muro, y con espanto general, caballo y caballero fueron al abismo.

El secretario del Gobierno, General don Tomás Mateo Prats, presenciaba las corridas desde el balcón de una de las casas contiguas, gritó convulso y religiosamente:

—¡Sálvalo, Santo Cristo de la Salud!

II

El caballo se reventó contra los peñascos que había junto al alto paredón: el jóven salió ileso milagrosamente...

Con motivo de este trágico suceso, el señor Prats, creyente y pío, levantó una capilla sobre la muralla de tapiería, con permiso del Gobernador, Vice-Real

Patrono en estas Indias, y de su Ilustrísima el señor Obispo; y colocó allí un hermoso cuadro con la imagen del Santo Cristo de la Salud. Tomó fama de milagrera dicha imagen y todos los años se le hacían espléndidas fiestas religiosas costeadas por el vecindario.

III

Hoy —¡quién lo dijera!— no está de moda el santuario del bueno y milagroso Santo Cristo de la Salud...

La gasa nebulosa del olvido se extiende por aquellos piadosos sitios como una desolación. La ermita se arruina lentamente. La envuelve una melancólica tristeza. Las ruinas están rotas y los paredones y arco romano desconchados. Ya no se oye por allí la sencilla plegaria, ni arde la lámpara votiva, ni se ven los ramilletes de flores naturales. Nada de ofrendas. ¡Sólo se siente el dulce y apacible encanto de la soledad y el silencio de las tenebrosas sombras!...

El olvido impera en aquel recinto, es decir, la muerte en perspectiva...

Sociedad tonta y veleidosa, que hasta en la nobleza de tus cultos eres inconsciente e infiel.

NOTAS

1— En las épocas a que se refiere esta leyenda el pueblo de San Juan, así como el de todas las demás poblaciones de la Isla, era sumamente religioso. En las montañas cundía la superstición. Todas las fiestas, tanto oficiales como las celebradas por la iniciativa popular eran solemnizadas por la Iglesia Católica, Apostólica y Romana, reconocida como religión del Estado. La Santa Catedral contaba con un cuerpo distinguidísimo de canónigos, todos varones de gran ilustración.

Las pompas religiosas tenían un carácter de magnificencia, que impresionaba profundamente la mente popular. No es de extrañar que la salvación milagrosa del joven caballero que cuenta la leyenda se atribuyera a la intervención del Santo Cristo de la Salud, que escuchó la súplica del caballero regidor Don Tomás Mateo Pratts. Hoy, como anota la leyenda, esto se ha esfumado totalmente y nuestras fiestas religiosas se celebran en la quietud y soledad de los templos. Sin embargo, debemos anotar aquí que el abandono de la Capilla del Santo Cristo de la Salud no ha persistido en nuestros días. La capilla ha sido restaurada por la iniciativa privada de piadosas damas católicas, ayudadas por las autoridades eclesiástics. Y los oficios divinos se realizan ante su altar periódicamente con la devota atención de los fieles.

GUANINA

(1511)

I

CAÍA la tarde envuelta en radiantes arreboles. Don Cristóbal de Sotomayor,[1] sentado en un taburete en el amplio aposento que se había hecho fabricar en la aldehuela india de Agüeybana,[2] aspiraba amodorrado los efluvios amorosos que la brisa de la tarde le traía del inmediato boscaje, pensando melancólicamente en la Corte valisoletana y en la Condesa de Camiña, su señora madre, cuando penetró en la alcoba con precipitado paso una hermosa india, de tez broncínea, ojos expresivos, levantado pecho, suaves contornos y cabellos abundosos, medio recogidos en trenzas, a estilo antiguo castellano.

—¿Qué ocurre, querida Guanina, que te veo asustada y tus grandes y hermosos ojos, tan vivaces siempre, están llenos ahora de lágrimas?

—¡Huid, señor!... Huid, amor mío... Tu muerte está acordada por todos los caciques boriqueños. Yo conozco las cuevas más recónditas de nuestra isla y yo te ocultaré cuidadosamente en una de ellas.

—¡Estás delirando, Guanina! Los tuyos han doblado ya la cerviz para no levantarla más, replicó don

Cristóbal, atrayendo hacia sí a la gallarda india, besándola en la frente, y tratando de tranquilizarla.

—No creas, señor, que los míos están vencidos. Los consejos de mi bondadoso tío Agüeybana hicieron que los boriqueños os recibieran con placer y paz; y os agasajaron. Os creyeron verdaderos *guaitiaos*;[3] pero los hechos han venido a probar, desgraciadamente, que no sois tales confederados y amigos, sino que pretendéis ser amos. Además, algunos de los tuyos han abusado inconsideradamente de la bondad indígena. Y, finalmente, el rudo trabajo del laboreo de las minas, en compactas cuadrillas, buscando esas tan deseadas piedrezuelas de oro, que tanto apreciáis, los ha llevado a la desesperación, que, como sabéis, muchos se quitan la vida por no lavar esas malditas arenas.

—Te veo, Guanina, también rebelde, —díjola don Cristóbal, sentándola a su lado y besándola cariñosamente.

—Digo lo que siento, amor mío. Y, como tu muerte está acordada por los caciques, quiero salvarte. Vengo a avisarte, porque no quiero que te maten, —volvió a exclamar Guanina, con los ojos llenos de lágrimas y abrazándose fuertemente al joven hidalgo, que la retuvo entre sus brazos con placer.

II

De repente, penetró en la alcoba Juan González,[4] el intérprete, cortando imprudentemente el amoroso coloquio de los jóvenes amantes.

—Señor don Cristóbal, no hay tiempo que perder. La rebelión de los indígenas va a comenzar y será formidable. Acabo de presenciar un *areyto*,[5] en el cual tus propios encomendados, danzando y cantando, han jurado tu muerte y la de todos nosotros.

—¡Tú también, buen Juan, estás impresionado! Veo con pesar, que se te están pegando las timideces de estos indios. Esos son desahogos de siervos y nada más.

—Hace noches, repuso el astuto González, que observo luminarias, y que oigo, en el silencio nocturno, el grito de alarma del caracol en la montaña, tocando a rebato con insistencia. Son éstas, indudablemente, señales de aliento, acordadas ya. Pronto la isla arderá en terrible conflagración contra nosotros. ¡Huyamos, señor, huyamos! Conozco todos los atajos y vías que conducen a la Villa de Caparra.[6] ¡Aún es tiempo, señor don Cristóbal!

—¡Yo huir, Juan González! —dijo con énfasis y comprimida rabia don Cristóbal, levantándose airado del taburete, y desprendiéndose de los brazos de Guanina, que tenía sobre los hombros del gallardo mancebo reclinada su gentil cabeza, y repitió:

—¡Yo huir, Juan González! ¿No sabes tú que me llamo Sotomayor, y que ninguno de los míos volvió jamás la frente al enemigo? Saldré de aquí por la mañana, a pleno sol, alta la visera, con pendón desplegado, seguido de mis amigos y con mis equipajes al hombro de esta canalla, que atruena ahora el *batey*[7] con su vocinglería y que pronto castigaremos. Nada más. Retírate.

Mientras tenía lugar este diálogo entre los dos cristianos, Guanina se había retirado al alféizar de la ventana y miraba con ojos tristes la obscuridad del bosque, como queriendo escudriñar sus secretos con sus penetrantes miradas de criatura salvaje, y, maquinalmente, terminaba de trenzar su negra y abundosa cabellera, a estilo castellano, según se lo había enseñado el joven hidalgo español, en sus raptos de amor con la esbelta doncella indígena.

—Ven, Guanina, siéntate a mi lado. Estoy irritado con los tuyos, pero no contra tí. Tu amor llena mi alma. Bésame, para olvidar con tus caricias las penas que me agobian.

Y la hermosa india ciñó con sus brazos el cuello del gallardo doncel y le besó risueña, mostrando al reirse sus amarfilados dientes, que parecían una ringlera de perlas finas.

III

La mañana fué luminosa, esplendente. Bien de madrugada el buen Juan González, el astuto intérprete, llamaba quedamente a la puerta de la alcoba de don Cristóbal.

—Señor, señor, soy yo, Juan González.

—Entra. ¿Qué hay?

—Toda la noche hemos estado velando vuestro sueño. ¡Partamos, señor don Cristóbal, partamos!

—Llama a Guaybana,[8] mi cacique encomendado.

—Ya le había citado, señor. Está abajo en el portal, esperando vuestras órdenes.

—Dile que entre.

Juan González obedeció la orden de su capitán. Y Guaybana, el cacique principal de Boriquén, penetró en el salón. Saludó a don Cristóbal fríamente, llevándose la mano derecha a la frente, pero manteniendo el ceño muy fruncido. Era Guaybana un joven robusto, desenvuelto y altivo. Había heredado el cacicazgo de su tío Agüeybana, y odiaba mortalmente, de todo corazón, a los invasores.

—Necesito, Guaybana, díjole don Cristóbal, que nombres una cuadrilla de tus *naborias*,[9] para que lleven mi fardaje a la Villa de Caparra. Estoy de viaje y quiero partir inmediatamente.

Juan González, el *lengua*, interpretó a su capitán.

—Serás complacido, contestó el cacique secamente, retirándose de la alcoba sin saludar, y con el ceño fruncido, como cuando entró en el aposento.

—Señor don Cristóbal, ¿qué habéis hecho? ¿Por qué habéis indicado a Guaybana la ruta que vamos a seguir? — Exclamó el intérprete, aterrado con la imprudente franqueza de Sotomayor, que no daba gran importancia al movimiento insurreccional de los boriquenses.

—Juan, mi buen Juan, es preciso que sepan estos

gandules que nosotros no huimos de ellos. No temáis, amigo mío, que el Dios de las victorias está con nosotros. Nadie puede humillar el pendón castellano. ¡Ea, González, a preparar el viaje!

Y el intrépido joven descolgó de la pared su espada toledana, su casco y su rodela, colocándolos sobre la cama. Guanina, al ver lo que hacía su amante, se acercó a él y le dijo al oído:

—¡Llévame contigo, amor mío! No quiero quedarme aquí sin tu compañía. ¡Llévame!...

—Imposible ahora, Guanina. Tan pronto salgamos de estos sitios, habrá una fuerte *guasábara;*[10] y yo no quiero que una flecha te alcance y pueda herirte o matarte. Una rozadura de tu piel me partiría el corazón. Pronto volveré por tí, muy pronto. Te lo prometo.

Y estrechándola entre sus brazos la besó en la boca con ardor juvenil. Guanina se puso a llorar tristemente, sin que los sollozos que salían de su pecho hicieran cambiar de resolución al noble y arrogante doncel.

Los *naborias*, sirvientes indios, empezaron a entrar en el aposento de don Cristóbal y a repartirse la carga. Los indígenas miraban de reojo, con mal disimulada cólera, a la hermosa Guanina, que tenía los párpados hinchados de tanto llorar.

La comitiva estaba en el *batey*, esperando las últimas órdenes. Don Cristóbal dispuso que Juan González quedase a retaguardia, con los equipajes; y que sus cinco amigos marcharan con él a vanguardia, bien prevenidos, para evitar una emboscada. El adalid, buen guía, había de ır marchando a la descubierta. Como iban de viaje y a pie, no podían llevar toda la armadura y se pusieron solamente petos de algodón, para resguardar el tronco de algún flechazo.

Don Cristóbal, puesto el casco de bruñido acero, ceñido el espadón y embrazada la rodela, subió precipitadamente los escalones del caserón de su estancia para besar por última vez a su querida Guanina. No se dijeron ni una sola palabra. Se abrazaron y se besaron de nuevo convulsivamente. Cuando bajaba la escalera, llevóse don Cristóbal el dedo meñique de la mano izquierda, a la mejilla, para borrar furtivamente dos hermosas perlas que se habían desprendido de sus ardientes ojos y que el arrogante joven no quería fueran sorprendidas por sus compañeros de armas. Era el tributo justo de amorosa reciprocidad del soberbio paladín a la encantadora india, que había sacrificado a su amor los sentimientos de patria, raza y hogar indígenas.

IV

La comitiva de don Cristóbal de Sotomayor, aprovechando el ambiente fresco de la mañana tropical, se puso en marcha por el camino que conducía hacia la Villa de Caparra. Bien pronto se perdió de vista el reducido pelotón. Entonces Guaybana reunió trescientos indios, de sus mejores guerreros, y les dijo:

—Sonó, amigos míos, la hora de las venganzas.

Muchas lunas me han sorprendido llorando nuestra desgracia. Hay que destruir ahora a todos los invasores o morir por la patria en la demanda. Todos nuestros hermanos de las otras comarcas de la isla están ya preparados para la lucha. El *zemí*[11] protector manda morir matando. El sol de hoy nos será propicio con sus lumbres. Es preciso, pues, no seáis vosotros inferiores en valor a los valientes guerreros que capitanean Guarionex[12] y Mabó Damaca.[13] Fijad la puntería de las flechas y amarrad a las muñecas las manijas de las macanas. ¡Adelante, adelante!

Guaybana lucía su penacho de plumas multicolores, llevaba al cuello el *guanín*[14] de oro distintivo de jefe y blandía con la mano derecha la terrible hacha de silex, con que derribaba sus bosques de húcares y cedros.

Seguían al decidido cacique trescientos indios, bien armados, con sus carcajes al hombro, llenos de flechas, el arco en la mano izquierda y la macana en la diestra. Llevaban el pelo recogido al occipucio con un cordón de maguey y el cuerpo pintarrajeado en franjas con la pasta del achiote amarillo y el jugo negro de la jagua.

Marchaban los indios sin orden ni formación por la vía que poco antes había tomado don Cristóbal, en cuya busca iban. Todos hablaban o gritaban, produciendo una algarabía infernal. Habían perdido por completo el miedo a los extranjeros.

GUANINA

V

El primero que sintió que se aproximaban los boriquenses, en sentido hostil, fué el intérprete Juan González, que marchaba a retaguardia. El astuto *lengua* dió orden en seguida a los *naborias* de detenerse y hacer alto, para escudriñar lo que era aquel ruido. Y, al mismo tiempo que se daba cuenta de lo que ya él, con su buen juicio, se presumía que fuese, se le echaron encima unos cuantos indígenas y recibió dos macanazos, que le rompieron la cabeza y le salpicaron de sangre. Afortunadamente, no perdió el conocimiento; y, arrodillándose ante el soberbio cacique Guaybana, que acababa de divisar, le pidió la vida y ofreciósele a servirle perpetuamente.

—¡Dejad a este bribón, no le matéis! — gritó Guaybana; y volviéndose con arrogancia a los suyos, exclamó:

—¡Avanzad en busca de don Cristóbal y su gente!

La mesnada india obedeció; y corrió por el atajo, lanzando furiosos gritos de guerra. Los *naborias* saquearon el equipaje, que poco antes llevaban a cuestas, y se desparramaron en distintas direcciones.

Viéndose Juan González solo, dió gracias a Dios por haberle salvado la vida, curóse como buenamente pudo las heridas de la cabeza, y trepóse en un frondoso árbol para esperar la noche y poder huir hacia Caparra con mayor seguridad de salvación. El buen *lengua* prefirió más ser un Sancho que un don Quijote, librando la ruin pelleja a costa del honor. A pesar de su desgracia, sentía hondamente no poder avisar a su amo de cómo era la avalancha de enemigos que iban en su contra.

VI

Don Cristóbal y sus cinco amigos caminaban con sumas precauciones al ojeo. De cuando en cuando, la brisa les traía voces inacordes y ruidos extraños, procedentes del bosque. Cruzaron los senderos cautelosamente. Una ráfaga de viento les trajo vocablos más inteligibles. Eran gritos indígenas. Bien pronto comprendieron que se acercaban los indios en actitud belicosa y que habría *guasábara*.

El adalid, a pesar de ir a vanguardia, paróse, y dió la voz de alerta. Don Cristóbal dió el alto; y volviéronse todos del lado que venían las inacordes voces, bien embrazadas las rodelas y los aceros al aire libre. Pronto la flechería les advirtió que los enemigos eran muchos y que la lucha sería empeñada y sangrienta.

—Amigos míos, dijo el hidalgo don Cristóbal, preparaos a dar buenas cuchilladas. Aunque somos pocos, triunfaremos. No debemos separarnos ni por un instante. Tened el ojo avizor, pie firme y el brazo siempre en guardia, y que las estocadas sean rectas, para que sean mortales. En la mano izquierda tened la daga. Y que Dios nos proteja.

—¡Santiago y Sotomayor! —gritáron sus amigos. ¡Santiago y Sotomayor! —repitieron.

Como se precipita un torrente desbordado. acrecentado por las lluvias continuas, así cayó aquella turbamulta de indios sobre el pequeño destacamento castellano. Los primeros indígenas que se acercaron, mordieron el suelo inmediatamente. Se atropellaron de tal modo contra los cristianos, que no les fué posible usar de los arcos y las flechas; porque se peleaba casi cuerpo a cuerpo. La sangre humana lo teñía todo con su rojo color. Los gritos agudos y rabiosos, herían la atmósfera. Don Cristóbal y sus amigos lanzaban a su vez voces estentóreas de guerra para contrarrestar la de sus contrarios; y con cada estocada certera iba una maldición violenta. La pequeña hueste revolvíase ágil, a diestro y siniestro. Los boriqueños acosaban a los castellanos por todas partes con terribles macanazos. Volaban las macanas partidas en dos por los tajantes espadones. Poco a poco se fué apagando la estruendosa gritería y las respiraciones eran jadeantes. El suelo estaba lleno de cadáveres por todos lados. Los indios podían reemplazarse, los españoles no. El último de ellos que cayó, fué el hidalgo y valeroso don Cristóbal, con el casco abollado y la espada rota, pero de frente a sus contrarios. En vano trató de alcanzar al soberbio Guaybana, pues cuando llegó a divisarle y corrió hacia él, para atravesarle con la espada, tropezó ésta con una liana, recibiendo al mismo tiempo un macanazo en la cabeza, que le privó de la vida, a la vez que otro formidable golpe de macana dado de soslayo, le rompía la espada.

Guaybana y sus guerreros se acogieron a una loma cercana para descansar de las fatigas del combate, enterrar a sus muertos y orientarse en la campaña que iban a emprender contra los cristianos. El primero que habló fué el soberbio régulo de *Guaynía:*[15]

—¡El gran *Zemí* está con nosotros! En verdad, que mi *guaitiao* don Cristóbal era todo un valiente. No retrocedió ni un paso. Si fuéramos caribes, nos beberíamos sus sangre para que nos infundiera su gran valor. Es preciso hacerle los honores de un gran guerrero y enterrarle con la pompa correspondiente a su categoría de cacique español. Tú, Naiboa, ve donde el *bohique*[16] principal Guacarí y que cumplan mis órdenes.

Cuando el *nitayno* o lugarteniente Naiboa fué con veinte indios a recoger el cadáver del desgraciado hijo de la Condesa de Camiña, se encontraron a Guanina, lavándole el rostro a su amante, y tratando en su delirio insano, de volverle a la vida con sus ardientes besos. Regresó la comitiva india, llevando la noticia infausta a Guaybana, de que su hermana Guanina no había dejado que tocaran el cadáver de don Cristóbal.

—Bien, Naiboa. El *Zemí* tutelar así lo habrá dispuesto, replicó el régulo boriqueño. Respetad el dolor de Guanina, amigos míos. Mañana será sacrificada sobre la tumba de su amante para que le acompañe en la otra vida. Y añadió con triste voz el cacique vencedor:

—Tú, *bohique* Guacarí, dirigirás el rito cruento.

El augur se puso en pie y marchó con sus acólitos en demanda de la víctima infeliz y del cadáver del capitán cristiano, a fin de preparar la fúnebre ceremonia para el día siguiente.

Cuando llegaron al sitio de la desgracia, encontraron a Guanina muerta, descansando su cabeza sobre el pecho ensangrentado del hidalgo español.

VII

Los cadáveres de don Cristóbal y Guanina fueron enterrados juntos al pie de una gigantesca ceiba. Y sobre esta humilde tumba, brotaron espontáneamente rojas amapolas silvestres y blancos lirios olorosos. La naturaleza misma ofrendando en el altar del amor ingenuo, alma del mundo, hálito misterioso, soplo divino y dicha perenne de las almas puras.

Cuando al declinar el día, la purpúrea luz enrojece el occidente, como si lo bañara en sangre, y la sombra de la gigantesca ceiba, añosa y carcomida por la edad, arropa una gran extensión de terreno, creen los campesinos de la cercanía escuchar en aquella loma dulces cantos de amor, con el suave susurro de las hojas. Sabedores por la tradición, que allí fueron sepultados el valiente don Cristóbal de Sotomayor y la hermosa india Guanina, creen que son las almas de los dos jóvenes amantes, fieles a su intenso amor, que salen de la tumba a contemplar la estrella de la tarde y a besarse a los rayos de la luna.

NOTAS

1. *Don Cristóbal de Sotomayor*, natural de Galicia, hijo de los condes de Camiña, vino a Puerto Rico, acompañado de su sobrino don Luis, "con cédula de vecindad para San Juan entrambos y orden a Ponce (a don Juan Ponce de León, Gobernador de la Isla) de repartirles a cada uno un cacique con los indios respectivos." Era un noble español de calidad, que, según el cronista Ovando, había sido secretario del rey don Felipe el Hermoso. Ello lo comprueba la distinción con que lo menciona el rey don Fernando el Católico en las cédulas dirigidas al Gobernador de San Juan, donde se le recomendaba "amparar y mantener a don Cristóbal en las mercedes que se le concedían lo mismo a él que al hijo de su hermano Diego que le acompañaba." Fué nombrado Alguacil mayor por Ponce de León, teniendo a su cargo la administración de justicia en la colonia. Don Cristóbal de Sotomayor, con autorización de Ponce de León, fundó una villa en las cercanías del puerto de Guánica; y fué el iniciador de la cría caballar en nuestra Isla. Hizo reconocimientos en busca de oro por toda la región, hacia el actual Mayagüez, cuyas llanuras se denominaban Yagüeca. Molestados los vecinos de Guánica por los mosquitos que desarrollaba la laguna, don Cristóbal de Sotomayor trasladó la villa al puerto de la Aguada dándosele su nombre, esto es, Sotomayor. Tenía don Cristóbal de Sotomayor merecida influencia junto a Ponce de León, siendo quien le aconsejó la prisión de Juan Cerón y Miguel Díaz, cuando fueron nombrados por don Diego Colón respectivamente Gobernador y Alguacil mayor de la Isla y se presentaron a tomar posesión de

sus cargos. El hecho que relata la leyenda es rigurosamente histórico. El cacique Guaybana, de acuerdo con los demás caudillos de toda la Isla dió principio a una sublevación general contra los españoles con el asesinato de don Cristóbal de Sotomayor.

2. *Agüeybana.* Nombre del cacique principal de *Boriquén,* cuando visitó la Isla Juan Ponce de León en 1508. El historiador Fray Iñigo Abad le llama erróneamente "Agüeynaba." Era tío del otro cacique Guaybana, nombrado en la leyenda como hermano de Guanina. Los historiadores Oviedo y Herrera llaman hermanos a estos dos caciques; y el ilustre historiador puertorriqueño don Salvador Brau les llama a ambos por el nombre de Guaybana, error que rectifica el Dr. Cayetano Coll y Toste, autor de las *Leyendas,* en la página 100 del Tomo IX del *Boletín Histórico de Puerto Rico.*

3. *guaitiaos.* En el lenguaje indoantillano esta palabra significa amigo o confederado.

4. *Juan González.* Este español, que servía de intérprete a don Cristóbal de Sotomayor habíase familiarizado con la vida indígena al extremo de pintarse como ellos y tomar parte en sus festivales. Oyó discutir y aprobar en una asamblea pública de los indios el plan de rebelión, así como la encomienda a Guarionex como cacique del *Otoao* (de donde procede el actual Utuado) con la falange de prófugos que vagaba por la serranía del noroeste, el asalto de la población. De acuerdo con la relación de la leyenda, cuenta Salvador Brau en su *Historia de la Colonización de Puerto Rico,* que cuando González, escurriéndose por entre el boscaje, tomó la vuelta de la granja, ansioso de comunicar a su jefe el terrible informe, ya los indios habían llegado al colmo del frensí epiléptico en la danza bélica con que solemnizaban estas funciones.

"Sotomayor midió la inminencia del riesgo, mas para evitarlo érale indispensable acudir al distante poblado de la Aguada, reunir en él a los vecinos dispersos, avisar a Ponce de León y prepararse a la defensa: todo esto requería meditación y tiempo. González, exaltado por el espectáculo de que fuera testigo, instaba al caballero a partir en el acto: (Aprovechemos la noche para alejarnos,) decíale; (cuando el sol brille en el horizonte ya estaremos distantes; en llegando al pueblo se concertará lo demás.) Desatendióse este consejo, y una imprudencia cometida al día siguiente apresuró la catástrofe.

"Como los indios encomendados no vivían en las estancias y para utilizar sus servicios debían reclamarse al cacique, descuidando Sotomayor el sigilo que su marcha requería y desconociendo la doblez característica de los insulares, que no había tenido ocasión de apreciar como Ponce, Salazar, Toro y otros capitanes ejercitados ya en la Española, envió un emisario a Guaybana, pidiéndole hombres que condujesen su equipaje, pues tenía que marchar aquel mismo día. Esto era advertir al cacique que la presa se le escapaba, y el rencor sanguinario del isleño no podía dar tregua a su desbordamiento. Fingió, no obstante, sumisión, y los conductores solicitados acudieron sin pérdida de momento, poniéndose con ellos en camino Sotomayor, su sobrino don Luis, Juan González y los criados adictos que de España trajeran los dos caballeros.

"El camino que debían recorrer era largo y fragoso, siéndoles necesario remontar la sierra de Caín, para alcanzar las explotaciones mineras del Guaorabo y, desde allí, descender a la Aguada, por Yagüeca: la fatalidad debía abreviar ese itinerario. Alejados ya de la llanura de Guánica, pero no muy distantes aún de las riberas altas del Coayuco, observó González que, receloso marchaba muy zaguero, una gruesa partida de indios, con Guaybana a su frente, que por un atajo corría en derechura a su encuentro. Apresuró el paso para advertir a los que llevaban la delantera el peligro que se les venía encima, pero no logró su deseo: alcanzado por los salvajes, derribado de un macanazo y con tres flechazos en el cuerpo, hubiera allí acabado sus días a no ocurrírsele hablar al cacique en su lenguaje pidiéndole perdón y ofreciéndole servir como esclavo. Guaybana, que ansiaba presa mejor, ordenó dejarle allí y seguir tras los otros." Brau, *La Colonización de Puerto Rico.*

5. *areytos.* Canciones que entonaban los indios al compás de las danzas y que precedían regularmente a los juegos de pelota y a las empresas guerreras.

6. *Villa de Caparra.* A fines de agosto de 1508 fondeó Juan Ponce de León en la bahía de San Juan, quedando maravillosamente sorprendido de la amplitud y belleza de la misma. Desembarcó para fijar su residencia e internarse tierra adentro, alrededor de media legua del puerto, donde fundó el primer pueblo en *Boriquén*, que el Comendador Ovando ordenó se llamara *Villa de Caprarra* y el rey más tarde *Cibdad de Puerto Rico.* Ponce de León hizo construir en Caparra una casa mediana con su terrado, pretil, almenas y una barrera delante de la puerta y dió solares a sus compañeros para que levantaran sus casas. Una vez hecho esto, regresó Ponce de León a Santo Domingo, firmando el 2 de mayo de 1509 unas capitulaciones con el Gobernador de la Española sobre la colonización de la Isla; y, de retorno al *Boriquén*, comenzó a construir la Iglesia de Caparra, organizando lo que podemos llamar el primer Gobierno de la Isla, consistente en un Consejo Municipal, que tenía por Alcalde Mayor a Joan Xill Calderón, como Alguacil Mayor a don Luis de Añasco, como Tesorero a Francisco de Cardona, como Contador a Francisco de Lizaur, como Escribano Público a Martín de Medrano y como Vocales a Francisco de Barrio Nuevo, Diego de Salazar, Pero López de Angulo y Martín de Guiluz.

7 *batey.* Nombre con que se designaba un espacio cuadrilongo que existía delante de las casas de los caciques; y

estaba destinado a ser una especie de plaza pública para jugar a la pelota y reunirse los indios en sus asambleas.

8. *Guaybana.* Cacique principal del *Boriquén*, hermano o sobrino de Agüeybana, caudillo de la primer sublevación de los indios contra los españoles en Puerto Rico. Tan pronto como el pacífico cacique muerto fué sucedido por Guaybana, comenzó éste, que era joven y valiente, a preparar la resistencia y la lucha a muerte contra el conquistador. Los nativos del *Boriquén* creían supersticiosamente que los españoles eran inmortales; y, para confirmar o desechar tal creencia, decidieron en una de sus asambleas que el cacique Urayoán, que era el jefe de la región de *Yagüeca* —actuales valles de Mayagüez y Añasco— se cerciorara de si tal inmortalidad era verdadera. Para comprobarlo, valiéndose de engaños, invitaron a un joven llamado Salcedo a atravesar el río de Añasco en hombros de un indio; y cuando estuvieron en mitad del río le metieron debajo del agua hasta que lo ahogaron. Tan pronto como se convencieron de la muerte de Salcedo se le comunicó a Guaybana, quien resolvió inmediatamente el levantamiento cuyo primer acto fué el ataque de Sotomayor, que es objeto de esta leyenda.

9. *naborias.* Los siervos, en el estado social de los indios boriquenses, se llamaban *naborias.* El estado social de los indios, a la fecha del descubrimiento, según el Dr. Coll y Toste en su *Prehistoria de Puerto Rico*, era el siguiente:

"El *cacique*, o jefe de la tribu; el *bohique*, o augur curandero, como si dijéramos médico-sacerdote; el *nitayno*, sub-jefe o lugarteniente a las órdenes del *cacique*; y el *naborí*, o miembro de la tribu. Esta sencilla agrupación tenía desde luego su plan administrativo; y la división del trabajo con arreglo a su limitada civilización y reducidas necesidades. Correspondía al *cacique*, como jefe supremo de la aldehuela y su comarca, cuidar de los aprestos guerreros y de la defensa general del poblejo, mantener las buenas relaciones con los régulos vecinos y obedecer las órdenes del jefe más fuerte de la Isla, que vivía al sur. El *nitayno*, o sub-jefe, venía a ser el lugarteniente sustituto del cacique. Eran varios: uno cuidaba de los límites del cacicazgo; otro atendía a los cultivos y recolección de frutos; otro a la caza; otro a la pesca; otro a la confección del casabí, etc. Disponía cada *nitayno* de un pelotón de *naborís*, que trabajando en cuadrillas podían cumplir con sus faenas. Las mujeres no eran ajenas a algunas de estas labores. Es indudable, por lo tanto, que las incipientes industrias de alfarería, tallado y pulimento de hachas y demás utensilios de piedra o madera, tejido de algodón y cordelería de majagua y maguey para hamacas, redes de pescar, taparrabos y faldellines, construcción de arcos, flechas, azagayas y macanas, estaban regularizadas de algún modo; pero era una reglamentación al fin. Así estaría también el comercio de estos objetos entre las aldehuelas e islas vecinas.

"Los jefes indoantillanos tenían tres categorías, como si dijéramos las de capitán, teniente y alférez, que venían a corresponder a los vocablos *Matunjerí*, *Bajarí* y *Guaojerí*. No eran títulos de nobleza, ni mucho menos; pero sí expresiones de aprecio y distinción, para establecer cierta distinción social de personas entre ellos. I humanidad en sus procedimientos, se repite con frecuencia en distintas zonas, porque el hombre ha tenido que pasar por fases muy parecidas en todas las partes del planeta.

"El *bohique*, curandero augur, cuidaba como agorero de los ritos y ceremonias religiosas; y como médico, de la salud de los miembros de la tribu. Atendía también a la educación de los indiezuelos en lo correspondiente a enseñarles los areytos o romances históricos, para que conservaran en sus memorias las hazañas de sus antepasados y la sucesión de las cosas. Era ayudado en esta labor de la música, que siempre atrae sobremanera al hombre natural y sencillo. Un recitado monótono con alguna nota discordante y su obligado estribillo era la canción boriqueña. Acompañaba al *areyto* el ritmo cadencioso del tamboril de madera, llamado *maguey*, y el ruido acompasado de la sonajera, hecha con una higuera pequeña y vacía, con pedrezuelas dentro, la *maraca*, que ha llegado hasta nosotros, conservada por tradición entre nuestros campesinos. A la recitación del *areyto* se unía la danza o araguaco. Estos espectáculos no sólo tenían carácter histórico, sino algunas veces religioso o guerrero. También era costumbre del *bohique* preparar a los jóvenes indios que habían de sustituirle en el ejercicio de la hechicería y curandería.

"Y, finalmente, el último miembro de la tribu era el *naborí*, el hombre más inferior del clan, dedicado a labriego, sirviente, cazador, pescador o guerrero, según las necesidades de la agrupación. El *naborí* venía a ser como el vasallo pechero de la antigüedad."

10. *guasábara*. Así se llamaban las guerrillas de los indígenas. El cronista Oviedo lo usa como sinónimo de guerra.

11. *zemi*. Eran los *zemís* los dioses tutelares de los indios. La religión del indígena consistía en el culto a la Naturaleza, o totemismo, adorando las plantas, animales y pájaros. Sin embargo, tenían el concepto de una divinidad superior, a quien llamaban *Yucaju*, la cual moraba en los altos picachos del actual Luquillo, que era el Dios del Bien. También creían en un espíritu maléfico, a quien llamaban *Juracan*, palabra que se ha conservado en el castellano y designa los terribles ciclones antillanos que periódicamente azotan estas islas. También creían los indígenas en la aparición de fantasmas y en que los espíritus de los muertos venían a la tierra periódicamente.

12. *Guarionex*. Nombre del cacique dueño del Otoao (la actual región de Utuado) en Puerto Rico. Era muy guerrero y

fué el que, en el levantamiento contra los españoles, incendió el poblado de Sotomayor en las cercanías del río Culebrinas.

13. *Mabó Damaca.* Nombre del cacique residente en Guaynabo, el cual además de sus sentimientos patrióticos tenía que vengarse del hecho de que Juan Ponce de León, el 12 de octubre de 1510, le vendió su conuco con mil noventa montones de yuca y boniatos para atender a los gastos de la colonización.

14. *guanín.* Pequeña lámina de oro que acostumbran llevar al cuello los indios principales, en señal de distinción y mando.

15. *Guaynía.* Nombre del pueblo del cacique Agüeybana, radicado al sur de la Isla en un lugar del territorio de Guayanilla.

16. *bohique.* Léase la nota 9 de esta leyenda.

EL GRANO DE ORO
(1530)

I

Entre los pobladores del *Boriquén,* que se habían dedicado a la busca de oro, había dos activísimos sevillanos, Antonio Orozco y Juan Guilarte. Eran muy amigos. Vinieron a la Isla con cartas de vecindad[1] del Rey, dadas por la Casa de la Contratación[2] de Sevilla. Vivían en Caparra y disponía cada uno de una encomienda[3] de cuarenta indios, un solar y una caballería de tierra.

Orozco y Guilarte trabajaban con sus cuadrillas de *naborias* en los placeres auríferos del río *Mabiya,* lavando diariamente arenas y más arenas, en busca de las deslumbrantes pajuelas del precioso metal.

Un día dijo Orozco a Guilarte:

—El lunes de la semana entrante, al romper el alba, nos vamos a ir tierra adentro, a ver si nos topamos con algún yacimiento de oro.

—¿Llevaremos indígenas por guías?

—No. Llevaremos brújula para orientarnos, marchando siempre hacia el sur: y repletas las alforjas para unos días. Dejaremos nuestros capataces al frente de las cuadrillas en el *Mabiya.*

—¡Conforme! Pero no debemos olvidar nuestras

mantas, para defendernos del relente, si hemos de dormir en el bosque

II

Después de ocho días de exploración a través de la selva virgen, llegaron a una cumbre, desde la cual divisaron el mar Caribe a un lado, y al otro el Atlántico. El panorama era esplendente; sabanas y montículos con todos los colores del verde, desde el claro esmeraldino al ágata crisoprasa; y al horizonte, de frente y de espalda, dos franjas de azul turquí.

—Aquí fabricaría yo una casa de campo, dijo Guilarte.

—Valiente burrada sería, replicóle Orozco. Esto es bueno para contemplarlo un rato, pero luego hastía.

—Pues yo creo que a mí no me hastiaría nunca —volvió a anotar Guilarte.

—¡Tonto! Lo mejor es que reunamos mucho oro, y nos larguemos a Triana. ¡De Sevilla al cielo!

—Pues chico, muchas arenas tenemos que lavar para asegurar algo. ¡Y luego, eso de tener que dar al Rey el *Quinto*,[4] por su linda cara! ¡Vamos, me parece que en mucho tiempo no salimos de nuestra pobreza!...

Los dos amigos, sentados sobre una roca, después de su andariega expedición, abrieron sus morrales y empezaron a devorar su pan casabí y unos pedazos de queso canario.[5]

Orozco era un hombre como de treinta años, piel blanca, pecosa, pelirrojo, ojos pequeños y grises, nariz aguileña pronunciada, labios finos contraídos, con las comisuras caídas. Alto de cuerpo, enjuto y descarnado. Espíritu impaciente, audaz, ambicioso Tenía la mirada picaresca del tahur de profesión. Revelaba en su tipo los cruzamientos[6] de sus antepasados Su atavismo surgía en el ojo gris vándalo[7] y en su nariz judaica.

Guilarte representaba un genuino tipo berebere,[8] nacido en suelo español. Trigueño, ojos negros rasgados, nariz recta y fina, rostro oval, cerrado de barba negra, brillante y rizada. Permanentemente la sonrisa en los labios. Buena musculatura. Indolente. Le atraía el canto de los pájaros y el rasguear de una guitarra. Le gustaba cortejar las indias y había aprendido con ellas a cantar y bailar los *areytos*.[9]

De pronto, Guilarte dijo a Orozco:

—Mira hacia esa hondonada en la dirección de mi brazo. ¿Qué ves?

—Una piedra, que brilla como un topacio con los rayos del sol.

—Fíjate bien y verás que es un trozo de oro unido a un trozo de cuarzo.

—¡Efectivamente! ¡Qué buena vista tienes! ¡Y es bien grande!...

—Pero ¿quién diablos desciende de esta elevada montaña allá abajo para recogerla?

—¡Pues tú y yo!...

—¿De qué modo? —dijo Guilarte.

—Hagamos aquí campamento con yaguas y tejamos sogas de majagua, que reforzaremos con bejucos. Y con sogas haremos una buena escala.

—¡Pues, al avío! Las palmas de yaguas están ahí y más allá distingo un boscaje de majaguas. Las lianas están por dondequiera para darnos fuertes bejucos.

Ante el hallazgo fortuito de tan valioso grano de oro desaparecía la contemplación de aquella hermosa naturaleza virgen, sorprendente, que el sol bañaba con áureos reflejos venciendo la maraña impenetrable de la selva. El follaje raquítico bordeaba el abismo y de una roca pelada manaba un hilo de cristalina linfa, que huía rápidamente por entre los peñascales, perdiéndose el brillador chorrito en las profundidades de aquella inmensa olla.

III

Terminada la escala con rapidez y pericia extraordinarias y bien asegurada a un gran cedro descendieron por ella fácilmente Orozco y Guilarte.

Llegados al fondo del abismo vieron que la piedra codiciada era más grande de lo que creyeron en un principio.

—El oro que tiene esta piedra vale, separado el cuarzo y además ripio, de cuatro a cinco mil castellanos,[10] dijo Guilarte, que era inteligente en metalurgia.

—Lo suficiente para sacar avante a uno de los dos, pero no a entrambos. Busquemos a ver si encontramos otro grano.

Desengañados de no encontrar más oro, dijo Orozco a Guilarte:

-Te voy a proponer un negocio. Juguemos a los dados este hallazgo y a quien Dios se lo de, San Pedro se lo bendiga. Si te lo ganas, puedes ya retirarte a España. Si me lo gano yo, me voy de soleta a Sevilla. El que se quede en Caparra se encarga de la encomienda de su compañero y la explota en sociedad.

—Bueno, contestó Guilarte. ¿Y los dados?

—Aquí los tengo, replicó Orozco.

—Pues, ¡échalos!

La suerte favoreció a Orozco. Y Guilarte lo felicitó con sinceridad, añadiendo:

—Se han cumplido tus deseos. Vámonos para arriba.

—Sube tú primero, yo iré después con la piedra.

Guilarte echó mano a la escalera y trepó ágilmente por ella.

Cuando llegó arriba se sentó al borde del abismo a esperar a su amigo. Orozco subió bien hasta la mitad de la escalera, pero se rompió un escalón y estuvo a punto de caer, pues tenía la mano izquierda embargada con la piedra aurífera. Gritó a Guilarte y éste le contestó:

—¿Qué hago?

—Tira de la escala para que me ayudes a ascender o tengo que soltar la piedra. ¡Pronto, pronto!

Guilarte, que era hombre de muchas fuerzas, se acercó al cedro y empezó a halar de la escala con precipitación. De repente rodó por tierra. La escala, hecha de fibras verdes de majagua a pesar de estar reforzada de bejucos, también verdes, no pudo resistir el roce áspero de la peña y súbitamente se rompió. El infeliz Orozco cayó en la hondonada desde una gran altura y aunque la maleza amortiguó el golpe, quedó medio muerto en el césped del bosque. Imposible le fué a Guilarte poderlo socorrer, y desalentado regresó al campamento de *Mabiya*, caminando día y noche.

IV

Con ayuda de buenos indios, prácticos, y fuertes escalas volvió Guilarte, diligente, al socorro de su infortunado amigo. Cuando llegó a su lado estaba aún vivo, abrazado a aquella fatídica piedra que le costaba la vida. Lo primero que pidió fué agua. No había podido moverse de donde había caído porque tenía rotas las dos piernas. Después que satisfizo la sed, llamó a Guilarte y le dijo:

—¡Voy a morir! ¡Oyeme! Tú descubriste el grano de oro y yo te quité tu parte usando dados falsos. Dios me ha castigado. ¡Perdóname!...

Y espiró. El pobre Orozco fué víctima de su ambición. Todas las pasiones son buenas, ha dicho un filósofo, mientras uno es dueño de ellas, y todas son malas cuando nos esclavizan. Conducido el cadáver al campamento de *Mabiya* se le dió cristiana sepultura. Sabido en Caparra lo ocurrido, los Oficiales Reales dieron cuenta al Rey, quien concedió a Guilarte todas aquellas tierras exploradas por él y su infiel y desgraciado amigo. También es verdad que el honrado y desprendido vasallo había regalado a la Catedral de Sevilla aquella enorme pepita de oro, por la cual Orozco, con el ansia de enriquecerse, había sido traidor a la amistad.

Todavía en la cordillera central de la Isla, hay una cumbre, denominada *La Sierra de Guilarte*, que recuerda este trágico suceso.

NOTAS

1. *cartas de vecindad.* Constituían las cartas de vecindad los despachos o títulos que se daban a una persona para que fuera reconocida y tratada como tal vecino de alguna ciudad, villa o lugar, y, en su consecuencia, podía gozar de los fueros y privilegios propios de la localidad.

2. *Casa de la Contratación.* A los fines de llevar a cabo las capitulaciones ajustadas por la Corona de España con don Cristóbal Colón, y las modificaciones que subsiguientemente se hicieran a dichas capitulaciones, se organizó en Sevilla por una real cédula de 14 de febrero de 1503 la Casa de la Contratación, a cuyas investigaciones deberían someterse todas las operaciones mercantiles o industriales de las colonias, centralizando así

el comercio con las Indias, bajo la dirección de un factor, un fiel ejecutor, un tesorero y un contador o escribano.

3. *encomienda.* Por una carta patente de la Corona de fecha 22 de julio de 1497, se autorizó a Colon a repartir tierras en los territorios descubiertos entre los españoles que fueran a América. Con motivo de estos repartimientos de tierra, se disponía también de los indios que las poblaban, utilizándolos sobre todo para el laboreo de las minas, situación que fué luego autorizada expresamente por la Corte. Y como quiera que las leyes recomendaban que se tratase a los indios en buena forma y se les pagase un jornal proporcionado a su trabajo, las autoridades coloniales, al repartir tierras e indios, lo hacían encomendando al favorecido un número de indios, con la recomendación de enseñarles la religión católica. Por esto se llamaban *encomiendas* a las tierras con sus siervos, y *encomendadores* a los que gozaban de unos y otros. En 1538 se mandaron conceder encomiendas solamente a las personas que residían en las provincias conquistadas; pero después se permitieron los repartimientos entre personas *de méritos,* como los cortesanos, los cuales vendían o administraban desde la metrópoli sus encomiendas. Por último, en un reglamento para la población de Indias se quitó el carácter de hereditarias a las encomiendas, concediéndose solamente de padres a hijos, después de los cuales quedarían reunidos a la Corona y los indios serían vasallos directos del Monarca.

4. *el Quinto.* El 24 de abril de 1505 quedó concertado en la ciudad de Toro el pacto para colonizar la Isla de Boriquén, por virtud del cual debía concederse a Vicente Yáñez Pinzón el título de *Capitán y Corregidor de la Isla de San Juan del Boriquén,* con *subordinación al Gobernador de las Indias* y mediante su personal traslación a ella, en el término de un año, con los pobladores correspondientes, sometiendo el producto de sus labranzas al pago de diezmos y primicias. La Co-

rona con este pacto se reservaba el derecho sobre las minas, interviniendo en su explotación y reservándose también una tributación de un quinto sobre la producción.

5. *queso canario.* Queso fabricado de leche pura cuajada al estilo de las Islas Canarias.

6. *cruzamientos.* La unión de una raza con otra formando un pueblo intermedio.

7. *vándalo.* Una de las tribus nórdicas que invadieron el mediodía de Europa, bajo el nombre común de bárbaros, trayendo la destrucción del Imperio Romano. En el año 409 entraron en España, y una parte de sus tribus se estableció en Galicia; y otra en la antigua Bética, la actual Andalucía. Más tarde pasaron a Africa apoderándose de todo el antiguo territorio romano, llegando en sus excursiones el año 455 hasta entrar en Roma, la cual saquearon y destruyeron en forma tal que desde entonces los hechos de esta naturaleza se llaman vandálicos. El reino de los vándalos fué destruído por el general romano Belisario el año 534. Los vándalos eran altos y fornidos, de cabellos claros y ojos grises acerados.

El tipo de Orozco, como lo pinta la leyenda que anotamos, era, pues, un cruzado de vándalos y judíos; estos últimos se encontraban en el territorio español costeño procedentes de las costas fenicias; y la nariz judaica era muy pronunciada y típica.

8 *berebere.* Pueblo de una remotísima antigüedad, que ocupa el norte de Africa, principalmente Argelia y Marruecos, siendo de color blanco y muy parecido al andaluz y al siciliano. Los africanos tienen por lo general los ojos y los cabellos negros, pero los bereberes descendientes de las tribus que cruzaron el estrecho de Gibraltar para llevar a cabo la conquista de España, con mucha frecuencia muestran los ojos grises y hasta azules.

Hay historiadores que sostienen que los bereberes poblaron a España antes de que se formara el estrecho entre Ceuta y Gibraltar que comunica el Mediterráneo y el Atlántico, en edades remotas, y que la raza vasca del norte de España procede de la gran familia bereber, rubia, de ojos azules y piel blanca. Hay autores que sostienen que el tipo rubio se debe al cruce del berébere con el vándalo.

9. *areyto* Véase la nota 5 de la leyenda "Guanina."

10. *castellanos.* Moneda antigua de oro de España, y que ya no tiene uso. En tiempos de la conquista de América un castellano valía alrededor de quince reales de plata, o sea setenta y cinco centavos de dólar. Estos valores, desde luego, no son reales, sino aproximados y puramente especulativos, debido a que el valor de la moneda de aquella época no puede apreciarse con certeza comparándola con la moneda de nuestros días.

LA SORTIJA DE DIAMANTE

(1590)

I

Venco querida Mónica, a deleitarme un rato oyéndote cantar y tocar la guitarra.

—¿Y qué quieres tú que toque, Juanillo?

—Pues la entrada triunfal de don Gonzalo de Córdoba[1] en Nápoles. Quiero oir cómo imitas los clarines y tambores...

—Pero, hombre, ¡siempre pides lo mismo!

—Eso es para comenzar, después echaremos unas coplas.

—¡Quita allá! Tú serás buen artillero, pero cantas pésimamente y desafinas que hay que oir...

—En cambio, tu voz es divina y me arroba y encanta como el incienso de la Catedral. Y la guitarra en tus manos, con su punteado[2] me llega al alma. Tan pronto es marcial y bravía, cual si fuera el chocar de dos aceros que combaten; o amorosa y dulce, como la plegaria de una virgen.

—¡Adulador! ¡Déjate de falsos requiebros!

—Te lo juro por la Virgen del Pilar de Zaragoza.[3] Y también te digo, que anoche soñé que te había regalado una sortija de diamante, hermosísima, como anillo de boda. Y te advierto, que nos casamos y pusimos, un puesto de aguardiente y aloja en la plaza de la Verdura.[4]

—¡Dios te oiga, Juanillo! ¿Pero no me decías en noche pasada, que te ibas a reenganchar, porque eres el mejor artillero del Castillo?[5]

—Y lo soy, ¡mi vida! Pero estoy cansado de servir al Rey y no salir de pobreza. Y, por otra parte, te quiero más que a las niñas de mis ojos.

II

Mónica era a maravilla una linda muchacha, siempre contenta, vivaracha, donairosa, tarareando con suma gracia seguidillas picarescas, sin malicia. Era una moza de suaves contornos y líneas griegas, piel de aceituna clara y pelo con reflejos azulinos; tenía una sonrisa encantadora; y, cuando se reía, lo verificaba con tal estrépito como si fuera un repique de cascabeles. Amaba a Juanillo, el artillero, con coquetería infantil. Por lo que pudiera propasarse el militar siempre estaba de guardia la tía Brianda, que amaba a la muchacha como si fuera su madre. Pero todos aquellos atisbos furibundos estaban de más, porque Juanillo era de corazón noble y amaba a Mónica sin torcidas intenciones.

Juan Alonso Tejadillo (a) *Juanillo*, era un guapetón andaluz de veinte y tantos años, fornido y de pecho varonil. Cara placentera, muy simpático melífluo, enlabiador e imán de voluntades femeninas. Quiso venir a las Américas espontáneamente y sentó plaza en Cádiz, donde tomó tan a pecho la balística del cañón, que llegó a manejarlo con maestría.

III

Pocos meses después del mimoso diálogo de Juanillo y Mónica, que hemos narrado, apareció frente a la ciudad de San Juan la escuadra de Francis Drake,[6] a copar dos millones, en oro y plata, que estaban en la Capitana de la flota de Tierra Firme,[7] al cargo de don Sancho Pardo y Osorio, fondeada en este puerto. Afortunadamente, también estaban en el surgidero cinco fragatas de guerra de S. M. al mando de don Pedro Tello de Guzmán.

La Capital, para esa remota fecha de 1595, no estaba aún amurallada; y contaba únicamente con la fortaleza Santa Catalina, hoy palacio residencial del Gobernador. El Morro no estaba concluído y tenía anexo un fortín llamado el Morrillo.

Inmediatamente fueron guarnecidas las Caletas con buena artillería y se hizo muestra de toda la gente disponible de mar y tierra. También despachó el Gobernador avisos a Santo Domingo, Cartagena y Santa María.

En el Morro había veinte y siete piezas de bronce muy buenas. Entre ellas, un cañón de cuarenta libras de calibre, regalo del rey don Felipe[8] a este fuerte cuando se dió comienzo a su construcción. Era el magnífico presente cañón de crujía [9] de la galera real otomana, que rindió don Juan de Austria [10] en la batalla de Lepanto.[11]

Juan Alonso Tejadillo, primer artillero del Morro, estaba encargado del cuidado y manejo de esta bien templada carronada.

La armada de Drake era formidable: veinte y seis velas: entre ellas los navíos "Defiance," "The Elizth," "Bonadventure," "The Gardlante," "The Hope." "The Adventure" y "The Forefighter." El escuadrón desfiló frente al Boquerón y vino a fondear al socaire[12] de la isla de Cabra.

Llegada la noche, aprovechó Drake la intensa obscuridad y atacó el puerto con veinte y cinco lanchas, bien tripuladas, las que se metieron de rondón debajo del fuego del Morro y Santa Elena.[13] Entonces pegaron fuego a las fragatas de la armada de Tello de Guzmán, echándoles alcancías y bombas de fuego. Desde tierra jugaba la artillería; y de las caletas hacían sus descargas los mosquetes y los pedreros lanzando abundante metralla.

Al claror del incendio de la fragata "Magdalena," que llenaba de ráfagas de luz toda la bahía, se pudo rectificar la puntería contra las chalupas enemigas, que tuvieron que retirarse con perdida de diez lanchas y más de cuatrocientas bajas, pues cada embarcación llevaba unos sesenta combatientes.

Con la luminaria del incendio, Juan Alonso Tejadillo modificó la mira de su cañón turco, pues la Capitana inglesa estaba casi a la entrada del puerto y se distinguía claramente la luz de un ventanillo de popa. La lucecilla parpadeaba sobre las ondas. Hacia aquella lumbre dirigió el artillero su puntería cuidadosamente. Luego se santiguó e invocó a Santiago apóstol, y sin vacilación alguna aplicó el botafuego al oído de la carronada.

La bala penetró en el comedor del navío inglés y mató a John Hawkins[14] y otros bretones que estaban bebiendo cerveza.

Drake amaba mucho a su pariente y maestro Hawkins, y disgustado por su muerte y por la obstinada resistencia de los españoles, levó anclas al siguiente día y se marchó con rumbo N. O., viniendo avisos del Arecibo y del viejo San Germán de la desembocadura del *Guaorabo* "que la armada enemiga había pasado por allí camino adelante."

IV

El gobernador don Pedro Suárez entusiasmado con la derrota de los enemigos, hizo la merced al artillero Juan Alonso Tejadillo "de una sortija de diamante, por lo bien que había servido a S. M. en aquella jornada y por haber matado a Juan de Aquines." Así reza el cronicón.

Juanillo regaló el precioso aro a su idolatrada Mónica, como anillo de boda; y cumplido su servicio y obtenida su licencia absoluta pudo casarse, aunque sin caudal ni gajes, y puso un puesto de aguardiente y aloja en la plaza de la Verdura, hoy de Baldorioty.

La linda Mónica, ebria de felicidad, despachaba los vasos de refresco a los parroquianos luciendo orgullosa su sortija de diamante.

NOTAS

1. *Gonzalo de Córdoba.* General español, conocido por *el Gran Capitán.* Su nombre completo es Gonzalo Fernández de Córdoba. Tomó parte como oficial en la guerra de Sucesión y en la de Granada. Durante esta última obtuvo la rendición de la fortaleza después de una conferencia personal con el rey moro Boabdil. Enviado a Italia al frente de un ejército de 5,000 infantes y 600 caballos ganó una serie de acciones de guerra brillantísimas, capturando numerosas plazas y fuertes. Derrotado en la batalla de Seminar, que se dió contra su voluntad y su consejo por órdenes del rey don Fernando de Nápoles, el Gran Capitán se rehizo prontamente llegando a capturar tantas fortalezas, que no tenía soldados con que servirles guarnición Fué halagado de reyes y papas y creado duque de Santangelo, regresando a España en 1498 con la mayor parte de sus tropas, después de haber asombrado a Europa con sus hazañas. El Gran Capitán, no pudiendo permanecer en el descanso que tan bien había ganado, volvió a ponerse en campaña en 1500, yendo al frente de 5,000 infantes y 600 caballos a la conquista del reino de Nápoles. Se cuenta en esta guerra que habiéndose sublevado parte de sus tropas por los padecimientos que sufrían, uno de sus soldados se acercó al Gran Capitán poniéndole su pica en el pecho; y Gonzalo, suave y sonreído, le aparto con la mano, diciéndole al soldado: "Mira que sin querer no me hieras." Reorganizadas sus huestes dió contra los franceses

y ganó la célebre batalla de Ceriñola; y poco después la de Garellano, completando la conquista de Nápoles. Víctima de una intriga palaciega fué requerido para que presentara las cuentas de sus campañas lo que hizo en la siguiente forma:

"En picas, palas y azadones 100.000,000; 10,000 ducados en guantes perfumados para preservar a las tropas del mal olor de los cadáveres de los enemigos tendidos en el campo de batalla; 170,000 ducados en poner y renovar campanas destruídas con el uso continuo de repicar todos los días por nuevas victorias conseguidas sobre el enemigo... y 100,000,000 por mi paciencia en escuchar ayer que el Rey, pedía cuentas al que le ha regalado un reino."

Avergonzado el Rey ordenó que no se tratara más del asunto; y de este incidente es que proviene el proverbio español de que, cuando se rinden cuentas extravagantes por una persona, se le llaman *las cuentas del Gran Capitán*. Murió en desgracia y casi perseguido por el Rey, que llegó hasta a dar órdenes de prenderle.

2. punteado. Se llama así a las notas que se arrancan a las cuerdas de una guitarra antes de comenzar a tocarla para ver si el instrumento está propiamente templado.

3. *Virgen del Pilar de Zaragoza.* Milagrosa imagen, sobre una columna de mármol, en la Basílica del Pilar (Zaragoza) dentro de la cual está la Capilla Angélica, que recuerda la venida de Nuestra Señora cuando, viviendo aún en carne mortal, visitó el año 40 de Jesucristo al apóstol Santiago el Mayor, que se hallaba en aquella ciudad para predicar la fe cristiana.

Tradición española del Pilar: Orando una noche el apóstol con sus discipulos en las márgenes del Ebro, se le apareció la Virgen María, Madre de Dios, que vivía aún vida mortal, entre coros de ángeles y sobre una columna de mármol; dejóle una efigie suya y el apóstol edificó una capilla. El magnífico templo actual fué declarado monumento nacional por Real Orden del 22 de junio de 1904. La fiesta de Nuestra Señora del Pilar se celebra anualmente el 12 de octubre. Se celebra misa en la noche del 1º al 2 de enero en que la Virgen llegó a Zaragoza.

4. *plaza de la Verdura.* Se llamaba así la plaza del mercado para la época de esta leyenda: y estaba situada precisamente donde queda hoy la Plaza Baldorioty de Castro, antigua Plaza de Armas.

5 *Castillo.* Se refiere la leyenda al Castillo del Morro, que para aquella fecha aún no estaba concluído, pero algunos de cuyos fortines disponían de artillería.

6. *Francis Drake.* Marino inglés, nacido alrededor del año 1545. Educado por Sir John Hawkins, otro marino ilustre de Inglaterra, a los 22 años mandaba el barco "Judith," uno de los dos que escapó a la destrucción de la escuadra de Hawkins en el puerto de San Juan de Ulúa. Desde 1572 comenzó sus expediciones contra los españoles en América, sembrando el terror por todas partes, llegando a pasar el Estrecho de Magallanes y saquear la ciudad de Valparaíso. Atravesó el Pacífico, regresando a Inglaterra por el Cabo de Buena Esperanza, siendo el primer marino que dió la vuelta al mundo, pues Magallanes murió antes de terminarla. Tomó parte en el combate contra la Armada Invencible del rey don Felipe II, cubriéndose de gloria. Sus acciones de guerra numerosísimas le colocaban unas veces a la altura de los grandes marinos y otras le nivelaban a los grandes piratas de aquella época. La muerte de Hawkins, tal y como la refiere la leyenda, no es exactamente histórica. El ataque a San Juan de Puerto Rico, según James Grant, autor inglés de gran autoridad, sucedió como sigue:

"En el siguiente mes la flota de veinte y seis velas, al mando de Drake y Hawkins, salió de Plymouth Sound; pero, si iban directamente para San Juan de Puerto Rico, punto del cual la Reina tenía informes de que había reunidos grandes tesoros para el Rey de España, o para Nombre de Dios, y de aquí seguir hacia Panamá, es cosa que ahora no está cierta, porque después de estar navegando parece que los almirantes modificaron sus planes. El 31 de agosto vieron el Lizard, y el 27 de septiembre se acercaron a Gran Canaria, la mayor de las Islas Canarias. Hawkins se oponía a todo desembarco, juzgándolo una pérdida de tiempo y una exposición a la pérdida de victorias en otra parte; pero Drake y Baskerville, sobre todo este último, trataron de someter la isla entera en cuatro días con los de las picas y los mosqueteros. A su inoportunidad hay que añadir la de los marineros, que estaban faltos de provisiones: se vió obligado a someterse, y la acción fué un desastre. Después salieron para Dominica, del grupo de las Antillas; el derecho de ocupación de esta isla se lo disputaron Inglaterra, Francia y España, de modo que fué una isla neutral hasta 1759, año en que fué tomada finalmente por la Gran Bretaña. Allí llegó la expedición el 29 de octubre; y como los almirantes prolongaron largo tiempo su estadía, construyendo piraguas y botes y comerciando en tabaco con los naturales, la noticia de su llegada se extendió de isla a isla, y los españoles en todas ellas se prepararon para la defensa.

"El mismo día de su llegada a Dominica, cinco buques españoles, que habían sido enviados para vigilar los movimientos de la flota y para convoyar la escuadra de la Plata, desde Puerto Rico, capturaron un navío pequeño inglés, llamado "The Francis," el cual se había separado de la flota. Por medio de crueldades y torturas, los españoles obtuvieron del patrón y marineros la confesión del designio de los ingleses sobre Puerto Rico, punto para donde enseguida se encaminaron, para llevar la noticia y aguardar el ataque. El resultado fué que se enviaron dineros y embarcaciones menores a todas las colonias e islas españolas para que estuvieran preparadas; de modo que, cuando los almirantes llegaron a San Juan de Puerto Rico, el 22 de noviembre, era ya cosa segura que el éxito no coronaría su empresa. Tan pronto como anclaron en el puerto —el mismo puerto donde al año siguiente el conde de Cumberland estuvo a punto de ahogarse por el peso de su armadura— el enemigo rompió sus fuegos contra ellos. En el Castillo del Morro había solamente cuarenta piezas de artillería. El fuego era vivo y pesado; y aquella tarde Sir Nicholas Clifford y los capitanes Browne y Strafford cayeron heridos mortalmente al sentarse a cenar con el almirante Drake, cuyo taburete quedó destrozado por el mismo tiro, precisamente en el momento en que el almirante bebía un jarro de cerveza.

"La resistencia de los españoles fué larga y desesperada; y durante la contienda murió Sir John Hawkins, según se dijo, de pesadumbre y mortificación, y por las disensiones entre él y los otros Comandantes, según otro escritor. Otro dice que estaba enfermo de gravedad, y que al recibir la nueva de la captura del "Francis" por el enemigo, vió que el objeto de la expedición era ya conocido y estaba frustrado, y que la amargura de tal convicción impresionó su espíritu.

"Los españoles habían sumergido un gran barco en la entrada del puerto, para obstaculizarla; tenían además una cadena de largos mástiles unidos fuertemente a los fuertes cuyos cañones impedían la aproximación con el cruce de sus fuegos. Había cinco pontones virados de costado, con lastre de arena, en donde había enlazados cañones de grueso calibre, manejados por artilleros y mosqueteros.

"Sin contrariarse por tales preparativos, en la tarde del 13, Sir Thomas Baskerville, con veinte y cinco piraguas y botes, dotados con marineros, hombres de picas y de mosquetes, medio armados, con armadura incompleta, se arrojó intrépidamente entre ambos fuertes, desde donde los españoles les hicieron ochenta y cinco disparos de cañón; y esta circunstancia de que los tiros fueran tan minuciosamente contados, demuestra cuan leno era el trabajo de la artillería en aquel tiempo. Los hombres de Sir Thomas recibieron, sin embargo, un vivo fuego de fusilería; y a pesar de ello abordaron espada en mano los cinco navíos, uno por uno (uno de ellos era de 400 toneladas y los demás de 200) incendiándolos después. Los barcos tenían veinte cañones de bronce, cada uno, y cien barriles de pólvora. Además, (él causó grave daño al Almirante y al Vicealmirante.) El cargamento, que consistía principalmente en telas de sedería, aceite y vino, ya había sido puesto en salvo, así como el tesoro, que, según confesión de uno de los prisioneros, montaba a tres millones de ducados o cinco toneladas y tercio de plata."

El combate en ambos lados fué obstinado y sangriento; pero después de varios asaltos, que fueron repetidos, con grandes pérdidas de parte de los ingleses, y mayores aún por la de los españoles, de los que murieron muchos, sin contar los quemados, ahogados y prisioneros, Baskerville y su fuerza se retiraron en sus botes a la flota.

7. *flota de Tierra Firme.* La escuadra española destinada a servir en aguas de América para defender las colonias.

8. *rey don Felipe.* Era rey de las Españas para la época a que se refiere la leyenda don Felipe II, bajo cuyo reinado se comenzó la construcción del Castillo del Morro en San Juan.

9. *cañón de crujía.* Se llamaba *crujía* el paso o camino que había en las galeras, de popa a proa, en medio de los bancos en que iban los remeros, y donde, por lo regular, se emplazaban las baterías de grueso calibre en dichos navíos.

10. *don Juan de Austria.* Hijo natural del emperador Carlos V. A la muerte de éste el rey don Felipe II le reconoció como hermano con todos los honores, concediéndole cargos

militares de confianza, nombrándole en 1568 Capitán General del Mar Mediterráneo y del Adriático, donde combatió contra turcos y berberinos. El año 1570 se formó una liga entre España, Venecia y el Pontificado contra los turcos, recibiendo el mando en jefe de la flota cristiana don Juan de Austria, ganando el día 7 de octubre de 1571 la célebre Batalla de Lepanto. Atacó y tomó a Túnez; y estuvo en Italia con el título de lugarteniente del rey. Fué gobernador de los Países Bajos y murió en Namur el 24 de mayo de 1579.

11 *Lepanto.* Célebre batalla dada entre turcos y cristianos en el golfo de su nombre el día 7 de octubre de 1571. Las flotas cristianas las formaban Grecia, Roma, Venecia y España, contando entre naves grandes y pequeñas más de 319 velas. Mandaba esta poderosa escuadra don Juan de Austria; y encontrándose con la flota turca el 7 de octubre al salir el sol, formada en batalla en un frente de más de tres millas dispuesta en forma de media luna mandadas por Alí Bajá, el caudillo español ordenó inmediatamente que comenzara el combate. El encuentro fué sangriento, llegando los barcos al abordaje, pereciendo Alí Bajá al ser capturada su galera, lo que produjo el desconcierto entre los turcos, emprendiendo la retirada. El cañón a que se refiere la leyenda era uno de los que artillaban esta nave. De las 250 galeras turcas que tomaron parte en la acción, 130 fueron capturadas y las demás echadas a pique, con excepción de unas 40, que lograron escapar. El botin capturado a bordo de las naves turcas fué considerable. En conmemoración de esta batalla la iglesia católica instituyó la fiesta del Santo Rosario.

12. socaire. En términos náuticos, paraje de la nave por donde la vela expele el viento.

13. *Santa Elena.* Se llamaba así una batería que esta-

ba situada sobre uno de los bastiones que están sobre la puerta de San Juan, al final de la caleta del mismo nombre, la cual dominaba con sus fuegos el fondeadero de los buques, que se efectuaba para aquel entonces justamente frente a la Fortaleza, entre la puntilla y la dicha puerta de San Juan.

14. *John Hawkins.* Almirante inglés nacido en Plymouth el año 1520. Explotó la trata de negros. Fué duramente castigado en el combate de San Juan de Ulúa donde perdió tres de sus navíos. Se hizo célebre por sus operaciones contra la Armada Invencible enviada por Felipe II para invadir a Inglaterra.

LA HIJA DEL VERDUGO
(1765)

I

En el año que ocurrió el episodio que vamos a narrar, el hermoso edificio situado en la plaza de Baldorioty, y que llamamos *La Intendencia*,[1] no lo adornaba una fachada tan artística como la que hoy posee, y su inmensa mole bastillesca estaba dedicada a presidio. La plaza principal era el mercado.

Entre las personas que habitaban esta sombría cárcel estaba el verdugo, que había sido enviado de España con nombramiento de perpetuidad. A este personaje oficial, que había embarcado en Cádiz con rumbo a San Juan de Puerto Rico, se le había permitido traer una niña de diez años, único ser que constituía la familia del verdugo. La señora del alcaide acogió la muchachita y la educó a su mano, utilizándola como sirvienta.

María Dolores —este era el nombre de pila de la hija del verdugo— supo captarse la buena voluntad de su protectora, y subió tan hacendosa como modesta y buena; tanto, que en el penal todo el mundo la quería mucho, especialmente los presos que habían notado que siempre que venían reos del campo conducidos a pie por la ruta, al penetrar en el soportal o pórtico de la cárcel, ya estaba María Dolores, caritativa, con su cacharro de agua fresca para apaciguar la intensa sed de aquellos infelices.

Al verdugo le dejaban un rato de solaz cada día, a la prima noche; y el ejecutor de la Justicia se iba con su hijita a rezar el rosario a la iglesia de Santo Tomás de Aquino (hoy San José) y después se sentaba, huraño, en la plazuela de Santo Domingo a tomar el fresco de la noche. Prendía su pipa y fumábala toda mientras María Dolores se paseaba por la plazuela; y, al poco rato, retornaba al presidio por la calle del Cristo.

Andando los tiempos creció María Dolores, fué núbil, y todos tenían que hacer elogios de ella porque unía a su gentil belleza andaluza una gran modestia. A pesar de vivir entrando y saliendo en la cárcel nadie se le atrevía con alguna palabra ofensiva, porque su aspecto serio y noble infundía respeto. Continuó acompañando siempre a su padre a rezar el rosario en los Dominicos. Dejaba al viejo verdugo en la plazuela fumando su pipa y ella se corría por toda la calle de San Sebastián a dar un buen paseo. Al regresar, por lo común tenía que despertar al padre, que, terminada su última fumada, entraba a dormitar, y regresaban al presidio más o menos tarde en la noche.

II

En este tiempo llegó a la Capital un Comisario Regio, don Alejandro O'Reilly,[2] a imponerse del estado de esta posesión española. Una de las principales medidas de O'Reilly fué reorganizar las Milicias Disciplinadas [3] y los Cuerpos veteranos de esta plaza. Con este motivo hubo gran movimiento de gente en la ciudad, provocado por el banderín de enganche.

Entre los rechazados había un joven canario, fornido y guapetón, que exigía que siendo cabo, al reengancharse lo hicieran sargento. Tenía en contra al capitán de la primera compañía del Regimiento, y al presentarse en queja a O'Reilly lo hizo con tal altanería que el Comisario Regio dispuso que no lo admitieran. Al saberlo el arrogante Betancourt exclamó:

—Yo nací para mandar y no para que me manden... ¡y mandaré!...

Aquella misma noche organizó una cuadrilla de salteadores y empezó a ser el terror de la ciudad.

Entonces no existía el barrio de la Marina, que posteriormente se formó con terrenos ganados al mar y se ha dedicado al comercio. No había más que un caminito que conducía a unos tejares levantados donde está hoy el Arsenal. Todo lo demás estaba bajo el agua. Los buques fondeaban frente a la puerta de San Juan; y las pulperías y mercerías estaban en las Caletas y en la plaza del mercado, la hoy de Baldorioty, llamada Plaza de las Verduras.

La vigilancia de la ciudad la hacía una ronda de caballería. Dadas las diez de la noche nadie podía salir a la calle, las que estaban a obscuras como boca de lobo. El sujeto que topaba la ronda lo detenía incontinente y le echaba esposas, uniéndolo a la comitiva de detenidos que llevaba a la prevención. El servicio de los serenos vino muy después.

III

En uno de los paseos de María Dolores a lo largo de la calle de San Sebastián, se entró a comprar unos caramelos en una dulcería de la esquina de la calle de San Justo, llamada "El Trueno." Al salir estaba en la puerta un joven que le dijo:

—¡Viva la gracia! ¡Qué lindos ojos negros! ¡No puedes negar que eres de Cádiz, porque vas derramando sal por donde pasas!...

María Dolores miró al joven, se sonrió, y, sin cortarse, le respondió finamente:

—¡Gracias, caballero!...

Y regresó a la plazuela de Santo Domingo para acompañar a su padre al presidio. Se repitieron los paseos y también las entrevistas, siempre en la serenidad y paz de nuestras diáfanas noches tropicales, lo que prueba que a las mujeres todas les gusta que las galanteen. Esto es instintivo en ellas. El galanteador de María Dolores era nada menos que el terrible bandido Betancourt. Este se había enamorado perdidamente de la cándida doncella, quedando encantado de su espiritual dulzura, y la acompañaba a veces hasta la esquina de la calle de San José. Por fin, le prometió que tan pronto redondeara sus asuntos, pues él era ambicioso, la iba a pedir en casamiento a su padre para establecerse en el comercio de provisiones en un pueblo de la Isla.

IV

Las quejas del comercio al Gobierno contra el mal servicio de las rondas fueron repetidas, porque no pasaba noche que no saquearan una tienda. O'Reilly tomó carta en el asunto y aconsejó al Gobernador y al Cabildo[4] que se redoblara la vigilancia de la ciudad y que se diera un castigo fuerte a los malhechores aprehendidos.

Una noche, atacando el almacén de comestibles de los señores Azperúa & Co., de la caleta de San Francisco, fué copado un bandido de la partida, después de haber dado muerte a dos dependientes vizcaínos.

Del lugar del suceso fué llevado al cerro de San Cristóbal, cuyo castillo no existía para aquella época, y con un proceso verbal, brevísimo, fué ahorcado enseguida, disponiéndose que durante veinticuatro horas estuviera expuesto el cadáver a la vindicta pública para conocimiento de todos. Habiéndosele ahocardo a las cuatro de la mañana había que bajarle de la horca al siguiente día, a la misma hora, de modo que un inmenso gentío pudo desfilar por el campo de San Cristóbal y contemplar el cadáver del malhechor. Durante el día no se habló de otra cosa en la ciudad.

V

Aquella noche hacía una luna esplendente, sin un cendal de bruma; y María Dolores, como de costumbre, acompañó a su padre a la iglesia y a la plazuela. Y estando en ésta, dijo a su padre:

—Yo quisiera ir a ver al ahorcado. ¡Debe ser una cosa horripilante!

—¡Valiente mal gusto, hija mía! Piensa en otra cosa. Da tu paseo de siempre, y después a casa.

—¡Tienes razón, padre mío!

Y María Dolores, ciñéndose al talle su pañolón de vivos colores, echó a andar por la calle de San Sebastián. Al llegar a la dulcería "El Truenco" compró caramelos y al salir contó con encontrarse con Betancourt. Al verse sola, como la noche era tan hermosa y clara, caminó hacia el final de la calle; y, al divisar la puerta que daba a extramuros, volviéronle los deseos de ver al ahorcado. Y se dijo:

—Si estuviera conmigo Betancourt, le diría que me acompañara.

Con este pensamiento llegó al retén. El sargento de guardia, que la conocía, le dijo:

—¿En qué andas, María Dolores?

—Sargento, todo el mundo ha visto al ahorcado menos yo y mi padre no me ha querido acompañar.

—¿Quieres que te acompañe alguno del Cuerpo de guardia?

—No. La noche está clarísima y desde aquí estoy divisando la horca. Déjeme ir a matar mi curiosidad y rezarle un padre nuestro al ajusticiado, que yo me vuelvo en seguida, sargento.

—¡Dios te acompañe, hija mía!

María Dolores echó a andar de prisa y al encontrarse frente al ahorcado dió un grito de espanto y se sintió agonizar. El que pendía de la cuerda era Betancourt, su novio. Un rayo de la blanca luna daba en la frente del ajusticiado. María Dolores tomó rápidamente la escalerilla de su padre y trepó ágil por ella. Al tocar el cuerpo del ahorcado se cercioró de que hacía tiempo que había muerto. Estaba frío como el hielo.

El dolor, como el amor, enloquece. En sus raptos de delirio no reflexiona. María Dolores, en su desesperación, trastornada por la intensa pena de aquella sorpresa, se quitó el pañolón de punto cordobés; y, atándolo al cordel de que pendía el joven bandido, se ató al cuello el otro extremo y se ahorcó, abrazando convulsiva contra su palpitante seno el cadáver del infeliz Betancourt.

VI

El longevo verdugo despertó en la plazuela de Santo Domingo, se restregó los ojos y exclamó:

—Me parece que he dormido mucho. ¡Cuánto tarda esta noche María Dolores! Voy a su encuentro.

Y echó a andar. Antes de entrever la dulcería "El Trueno," tropezó con la ronda de caballería, que le dió el alto.

—¿Quién va?

—El verdugo.

—¿Por qué, a estas horas, estás en la calle?

—Voy en busca de mi hija.

—A esta hora no puedes andar por la calle sin una licencia especial. ¿La tienes?

—¡No!...

—Pues, date preso. Cabo Sánchez, póngale usted esposas al verdugo y únalo a la comitiva. ¡En marcha!...

Al pasar frente a la Catedral sintió el verdugo, que iba con la cabeza inclinada, que algo le había rozado la cara, levantó el rostro y vió un murciélago que se alejaba. Dos grandes lagrimones asomaron a sus párpados. Era superticioso y tomó aquello por una señal siniestra. Al ser entregado en la cárcel el alcaide le llamó y le dijo:

—Son las tres de la madrugada, prepare usted el servicio para a las cuatro bajar el ahorcado del patíbulo y conducirlo al cementerio. Después me dará usted cuenta de todo.

A la media hora de esta orden caminaba el verdugo hacia el cerro de San Cristóbal. Al llegar al sitio se quedó aterrado. Por un momento permaneció en actitud estúpida por el terror de la sorpresa. Una mujer pendía de la cuerda junto al bandido y esa mujer era su hija María Dolores. Tomó trémulo la escalerilla, subió rápidamente y vió que hacía tiempo que su pobre hija había fallecido. Bajó de la escalerilla temblándole todo el cuerpo, vacilante, y notó que todo daba vueltas ante sus ojos vertiginosamente; después nublósele la vista, sintió un golpe de maza en el cerebro, giró sobre sus pies como un beodo y desplomóse. Un ataque fulminante de apoplejía le había privado de la vida.

El sombrío ángel de las tristezas derramó sobre aquel fúnebre espectáculo el triste velo de sus melancolías.

VII

Un gentío inmenso acudió al lugar de este trágico suceso. Hasta el Gobernador y el Obispo concurrieron. Nadie pudo explicar el misterio de la muerte del verdugo y su hija. Y hasta se creyó en una venganza de la cuadrilla de bandoleros que capitaneaba Betancourt.

Pasado algún tiempo el dueño de la dulcería "El

Trueno," dió a conocer al público que la desgraciada María Dolores era novia, no amante, o querida del bandido Betancourt, porque aquella joven era muy virtuosa; y habían acordado casarse y establecerse en un pueblo de la Isla. Los descreídos continuaron creyendo que aquellas muertes habían sido una venganza de la cuadrilla de bandoleros por haberles ahorcado su jefe, y que el dulcero los encubría...

NOTAS

1. *La Intendencia.* Edificio donde están instaladas actualmente las oficinas del Departamento del Interior, Tesorería y Auditoría. Reinando S. M. donña Isabel II, y siendo capitanes generales los E.E.S.S. Juan de la Pezuela y el Marqués. de España y Superintendente de B.E.E.S. don Miguel López de Acevedo, se hizo esta obra dirigida por el teniente coronel comandante de Ingeniería don J. M. Lombera. En este edificio estaba instalada la Intendencia General de Hacienda en la época española.

2. *Alejandro O'Reilly.* Nació en Dublín, Irlanda, en 1725 y murió en España, a cuya nación sirvió toda su vida, en 1794. Comandó en Cuba las tropas que recobraron la Habana del poder de los ingleses; y allí reorganizó, como en Puerto Rico, las milicias. Más tarde, al mando de una escuadra y tropas desembarcó en Luisiana y capturó a Nueva Orleáns. De regreso en España, se le dió el mando de una expedición contra Túnez, la cual terminó en un desastre completo para las armas españolas. En Puerto Rico informó cuidadosamente al Rey sobre el estado de la Isla; y dió reglamentos y disciplinas a las milicias, o cuerpos de voluntarios, que solamente existían en el nombre. O'Reilly escribió una

interesantísima memoria sobre la Isla, en la cual, entre otras cosas se encuentra la siguiente relación del estado en que se encontraba nuestra población en 1765:

"...Quién dirá que después de tantos de posesión, y tanto tesoro derramado en esta isla, todos los tributos de ella, incluso la Diezmos, real derecho de Bulas, alcabala aguardiente, almoxarifazgo, etc., no ascienden a más de 10,804 pesos y 3 reales al año; y que las manufacturas y frutos que los comerciantes de España expenden es en cortísima cantidad según manifiesta la relación número 2, que me dieron los Oficiales Reales? — El pequeño importe de estos géneros retorna en dinero, curtidos, cueros al pelo y achiote. — Mas admirará esto cuando se sepa que hay en esta isla, 39,846 personas libres y 5,037 esclavos; que es muy templado el calor, muy sano el temperamento, y tan favorable a los europeos como a los naturales, que está bañada de muchos ríos caudalosos, que abundan en buen pescado, que en las sierras nunca faltan aguas, que en las llanuras hay bellísimas vegas, que de maíz, arroz, tabaco y los demás frutos, da dos y hasta tres cosechas al año; que se puede regular que todo lo que se siembra da ochenta por uno, que las cañas de azúcar son las más gruesas, altas, jugosas y dulces de América; que el algodón, añil, café, pimienta de tabasco, cacao, nuez moscada y vanilla se da de buena calidad; que se atribuye la inferior calidad del tabaco a la codicia de los cosecheros en cogerlo antes de estar en sazón, para que tenga más jugo y peso; a excepción de este fruto, del café y cañas de azúcar, los demás se hallan silvestres en los montes; el palo de mora, muy buscado por los extranjeros para sus tintes amarillos, es muy abundante, como así mismo el guayacán, que es madera muy fuerte para motones, y del que se sirven para varios muebles y tisanas antigálicas.

"Los holandeses e ingleses sacan anualmente considerable porción de uno y otro: pasa de 43 mil pesos lo que importa;

se halla en la isla grande abundancia de excelentes maderas para edificios, ingenios, construcción de pequeñas embarcaciones de comercio y carbón. He visto en las inmediaciones de Guayama, salitre. Hay salinas suficientes para el consumo; infinitas yerbas, raíces y gomas medicinales, que podrían formar considerable renglón de comercio.

"El origen y principal causa del poquísimo adelantamiento que ha tenido la isla de Puerto Rico, es por no haberse hasta ahora formado un Reglamento Político conducente a ello; haberse poblado con algunos soldados sobradamente acostumbrados a las armas para reducirse al trabajo del campo: agregáronse a estos un número de polizones, grumetes y marineros que desertaban de cada embarcación que allí tocaba: esta gente, por sí muy desidiosa, y sin sujeción alguna por parte del Gobierno, se extendió por aquellos campos y bosques, en que fabricaron unas malísimas chozas: con cuatro plátanos que sembraban, los frutos que hallaban silvestres y las vacas de que abundaron muy luego los montes, tenían leche, verduras, frutas y alguna carne: con esto vivían y aun viven. Estos hombres, inaplicados y perezosos, sin herramientas, inteligencia de la agricultura, ni quien les ayudase a desmontar los bosques, ¿que podrían adelantar? Aumentó la desidia lo suave del temperamento que no exigía resguardo en el vestir, contentáronse con una camisa de listado ordinario, y unos calzones largos, y como todos vivían de este modo, no hubo motivo de emulación entre ellos; concurrió también a su daño la fertilidad de la tierra y abundancia de frutos silvestres. Con cinco días de trabajo tiene una familia plátanos para todo el año. Con esto, la leche de vacas, algún casabe, boniatos y frutas silvestres, están contentísimos. Para camas usan de unas hamacas que hacen de la corteza de un árbol que llaman majagua. Para proveerse del poco vestuario que necesitan, truecan con los extranjeros, vacas, palo de mora, caballos, mulas, café, tabaco o alguna otra cosa, cuyo cultivo les cuesta poco trabajo."

3. *Milicias Disciplinadas.* Durante casi todo el siglo XVI Puerto Rico no tuvo más fuerza armada que dos compañías de veteranos de 150 hombres y una de artilleros de 60. Luego fué plaza de primer orden, con guarnición y fortificaciones respetables. A mediados del siglo XVII fué creado el *Cuerpo de Urbanos* para atender al orden público. Para fines del XVII fueron creadas las *Milicias Disciplinadas.* El 1765 vino a Puerto Rico el conde don Alejandro O'Reilly y reorganizó las milicias. Compuso diez y ocho compañías de blancos de infantería, una de morenos de infantería, y cinco de caballería, de blancos. En 1797 el Gobernador don Ramón de Castro le reorganizó nuevamente en un Regimiento de tres batallones de infantería de ocho compañías. En 1816 el Gobernador don Salvador Meléndez y Bruna añadió otro Regimiento. En 1830 el Gobernador don Miguel de la Torre quitó el sistema de Regimientos y creó siete batallones, uno para cada distrito. Los 600 milicianos morenos se agregaron a la artillería de plaza. Desde 1861 los españoles peninsulares no podían ser milicianos. El servicio de milicias era obligatorio. Estaban exentos los profesionales y clérigos, mayorales de ingenios, maestros de escuelas, hijos únicos sobre los cuales vivían padres ancianos o viudas. En 1874 el General Sanz suprimió las Milicias.

4. *Cabildo.* Se denominaba así al Ayuntamiento, hoy Asamblea Municipal, encargado de la administración de la ciudad.

UNA BUENA ESPADA TOLEDANA
(1625)

I

CORRÍA el año 1625 y había expirado la tregua de doce años[1] entre España y la República de las Provincias Unidas de Holanda., Francia, guiada por el cardenal Richelieu,[2] se unió a los holandeses para atacar a España. Por otra parte, el rey Felipe IV[3] estaba entregado a su favorito el conde-duque de Olivares, que para adular al joven monarca y dominarlo, le ofrecía el triunfo completo contra todos sus enemigos.

Acababa el nieto del Gran Capitán de ganar la batalla de Fleurus,[5] obligando a las huestes protestantes a meterse en Holanda con el resto de sus acuchilladas tropas. Y ardía la guerra fuertemente en Flandes y Alemania. En este estado de cosas bajaron las escuadras holandesas a atacar las posesiones españolas de América, saqueando a San Salvador, Lima y Callao.

Para esa remota época continuaba la ciudad de Puerto Rico olvidada, sin amurallar[6] y con una muy pobre guarnición; sin contar con las hermosas defensas, después construídas, de los castillos San Antonio, San Gerónimo y San Cristóbal.

II

Una mañana del mes de septiembre, del año indicado, apareció frente a la ciudad una escuadra holandesa de 25 urcas,[7] que al favor del alisio brisote del mediodía se entró de sorpresa dentro del puerto a velas desplegadas, como si hubieran penetrado en un surgidero holandés.

Los artilleros del Morro hicieron fuego, pero tan torpemente, por el mal estado de la artillería del Castillo, "que muchas piezas al primer tiro se apeaban por estar las cureñas y encabalgamientos viejos, y algunos cañones había cuatro años que estaban cargados."

No fué posible impedir el desembarco de tan formidable enemigo. El vecindario acobardado huyó a los campos; y las autoridades se refugiaron en el Morro.

Comandaba esta escuadra enemiga el general Bouduyno Enrico, delegado del príncipe de Orange.[8] Pidió, con heraldo y bandera blanca, la entrega de la plaza al gobernador don Juan de Haro, quien le contestó, que si todo el poder de Holanda hubiera desembarcado, a todo el poder de Holanda le haría frente; y que si quería la entrega de las llaves del Morro que las fuera a coger.

Bouduyno Enrico ordenó inmediatamente sitiar aquella fortaleza y se emplazaron baterías entre el llano que media entre el castillo y la ciudad. El asedio aumentaba de día en día y los sitiados tuvieron que hacer una salida repentina para contener el ímpetu de los sitiadores. A pesar de este esfuerzo de valor el cerco se iba estrechando.

III

Una mañana aproximóse tanto un destacamento a los baluartes, a hacer fuego de mosquetería contra los sitiados, que el capitán holandés, que los dirigía (y que se sigue creyendo fuera el propio Bouduyno Enrico en persona) se distinguía perfectamente al frente de su gente por las plumas amarillas de su casco y su apuesta figura. El bizarro capitán de negro peto y brillantes botas tenía intenciones de asaltar el castillo, tal era el denuedo y osadía con que se iba acercando a los fosos y exploraba los revellines.

De repente se oyeron crujir las cadenas del puente levadizo del Castillo y salió un pelotón de tercios castellanos, dirigido por don Juan de Amézquita y Quixano, primer comandante de San Felipe del Morro. Los holandeses al verle se replegaron activos y se formaron en batalla para pelear cuerpo a cuerpo, a fin de sostener la acometida de los sitios y obligarles a retroceder y a encastillarse de nuevo.

Contra los sitiadores se adelantó con rapidez y arrogancia el intrépido capitán Amézquita, con su airoso chambergo español, cuyas plumas rojas batía la brisa y el sol abrillantaba. Vestía coleto de gamuza y recias botas de cuero cordobés, sin espuelas; y al costado espada toledana de cazoleta calada, cuya fina hoja empuñaba entonces en su diestra. Bien templado acero que tenía grabado el mote de "No me saques sin razón, ni me guardes sin honor." Los retorcidos mostachos a lo Felipe IV, que lucía el mancebo, revelaban su carácter enérgico y su fiereza militar.

Al verle avanzar, se adelantó el capitán holandés en actitud de combatir personalmente con el capitán español. La tropa de una y otra parte, que lo comprendío así, se formó en línea a contemplar aquel duelo singular de sus dos valientes paladines. Estos combates personales eran muy frecuentes en aquellos caballerosos tiempos de retos y desafíos entre hidalgos, y gustaban mucho en los ejércitos. Se les daba gran importancia y hasta se creía, supersticiosamente, que influía en ellos el Destino. El duelo iba a ser a espada y daga. Todavía se usaba esta arma, o el puñal o la capa para hacer los quites.

Los capitanes casi eran de igual estatura. Desde los primeros momentos se reconoció que entrambos conocían el manejo de las armas que esgrimían. Buenos discípulos de Capo Ferro y Carranza Pacheco, los mejores maestros de esgrima de aquellos tiempos. No cruzaron sus aceros, sino que mantuvieron sus espadas en guardia de punta, sus dagas a la altura de sus petos. Entonces avanzaron con precaución, contraídos sus músculos a lo felino, prontos a caer sobre su adversario descuidado. El combate estuvo vario e incierto. Los golpes se sucedían y los quites eran sorprendentes. El holandés estrechando a Amézquita le hizo retroceder, y girando de flanco, trataba astutamente de ponerle de cara al sol. El capitán del Morro le siguió hábil acomodándose a los intentos de su contendor, plegó los ojos para resistir la luz solar y expresamente se puso en condiciones de que su enemigo se tendiera a fondo. El silencio que reinaba en aquellos trágicos instantes era religioso. El capitán holandés, conseguido su intento, preparó su estocada; y, creyendo que el español estaba deslumbrado por la viva luz solar, que le daba de plano en el rostro, y que era debilidad y torpeza aquella actitud, se fué a fondo impetuosamente. Amézquita hizo el quite con la daga, desviando el acero de su enemigo, que no pudo replegarse a tiempo, y le introdujo la espada toledana en el gollete, de donde brotó un borbotón de sangre bermeja.

Cayó el caudillo del príncipe de Orange, recogieronle sus heraldos, y volvieron las espaldas sus soldados desalentados.

Los holandeses dolosamente incendiaron la ciudad al retirarse a sus urcas, después de entregarse al saqueo y rapiña de las casas. No obstante, fueron perseguidos y escarmentados por los pedreros[9] de las Caletas al reembarcarse; y la mosquetería de la Marina hizo muchas bajas en los fugitivos, teniendo el enemigo que abandonar el puerto con pérdida de algunos buques y mucha gente.

IV

Enterado el rey Felipe IV de la bravura demostrada por el capitán puertorriqueño don Juan de Amézquita y Quixano le premió con mil escudos, le ascendió en su grado y le nombró gobernador de Santiago de Cuba. Cargo que renunció don Juan a los pocos meses de desempeñarlo, para regresar a su querida tierra.

Bouduyno Enrico no falleció en el duelo sostenido con el denodado Amézquita, porque sus heraldos al recogerle pudieron dar lugar a que le curaran a tiempo la cuchillada del cuello. Al año siguiente "al frente de la Habana, el día 2 de julio, sucumbió este almirante holandés, de resultas de una herida recibida el año anterior en Puerto Rico, peleando cuerpo a cuerpo con el capitán don Juan de Amézquita." Estas palabras del cronista cubano testifican la verdad de las viejas tradiciones criollas, que posteriormente han negado con suma ligereza algunos de nuestros escritores.

En el Campo del Morro hay un monumento conmemorativo de esta gran hazaña y señalado triunfo. El nombre del heroico capitán puertorriqueño brilla por su ausencia; y en cambio hay otros con grandes letras y en soberbia lápida de mármol. Aquí debemos exclamar con Shakespeare: ¡Cuán diverso es el hombre del hombre! Y añadimos nosotros: ¡Qué repugnante herrumbre es, en una sociedad, el olvido de sus muertos de valía!...

NOTAS

1. *Tregua de doce años.* Al morir el rey don Felipe II la provincia española de Flandes había sido cedida a su hija Isabel Clara Eugenia, casada con el Archiduque Alberto, por el rey don Felipe III, quien sostuvo la guerra contra los rebeldes a la soberanía de su hermana. No pudiendo conseguir dominarlos terminó las hostilidades con un tratado de paz firmado en la ciudad de la Haya por virtud del cual se estipulaba una tregua de doce años entre los combatientes a partir del 9 de abril de 1609. Desde entonces se consideró a Holanda como un pueblo libre e independiente; y, en cambio, este tratado mostró la flaqueza de España, que después de haber dominado toda Europa se vió impotente para combatir la rebeldía de una de sus provincias.

2. *Richelieu.* Célebre ministro francés nacido el 9 de septiembre de 1585 y muerto el 4 de diciembre de 1642. Es una de las figuras más prominentes de la historia universal. Se llamaba Armando Juan Du Plessis, siendo Cardenal y duque de Richelieu. Su gran carrera política comienza en 1614 cuando se le elige diputado del Clero a los Estados Generales. Siendo capellán de la reina María de Médicis, se le encargó del Ministerio de Relaciones Extranjeras. Desterrado luego, no tardó en volver a la Corte, siendo Primer Ministro en 1629. Su concepción del estado consistía en el absolutismo del poder real, sin contrapeso, a beneficio de la nación. Llegado a ministro, Richelieu combatió la nobleza hasta casi destruir su poderío legendario, sin detenerse en medios para ello, incluso llevar al cadalso algunos de sus más ilustres representantes. También combatió a sangre y fuego el protestantismo. En su deseo de engrandecer la Francia trabajó por la liberación absoluta de la iglesia galicana. Desde el punto de vista de su concepción absolutista del estado fué un gran ministro, llenando a su

país de gloria y poderío, aunque los medios de que usó para conseguirlo no fueron siempre honestos ni justos. Manejó prudentemente la hacienda, llevó el ejército a 180,000 hombres, cifra enorme para aquella época; equipó 108 barcos de guerra; instituyó una compañía de navegación a las Indias y América, ocupando el Canadá, Terranova, las pequeñas Antillas, Santo Domingo, Guayana, Senegambia y Madagascar; reorganizó la administración; protegió las letras; fundó la Academia Francesa; ensanchó la Sorbona y realizó muchos otros empeños. También escribió muchas obras de teología.

3. *Felipe IV*. Rey de España y Portugal, nacido en 8 de abril de 1605 y muerto en 17 de septiembre de 1665. Puso el reino completamente en manos de su favorito don Gaspar de Guzmán, conde de Olivares y duque de Sanlúcar, por lo que se llamo después el Conde-Duque. Al subir al trono don Felipe IV todavía la Nación Española figuraba como potencia de primer orden, con sus inmensos dominios en Europa y América, defendidos por una marina importante y un ejército aguerrido. Durante su reinado España se vió envuelta en costosas e innumerables guerras por más de cuarenta años, sufriendo grandes reveses. En las Antillas se perdió a Jamaica, que pasó a ser colonia británica. La tregua de doce años, a que se refiere la leyenda, convenida en el reinado anterior, una vez expirada, España inició las hostilidades, que solamente concluyeron en 1648. Durante este reinado perdió España su preponderancia en Italia y tuvieron lugar las insurrecciones de Cataluña y Portugal. Al privar del poder al conde-duque de Olivares, odiado de toda la Nación, Felipe IV trató de tomar sobre sí mismo el gobierno, pero pronto se cansó del esfuerzo hecho nombrando un nuevo ministro, don Luis de Haro. Son contemporáneos de don Felipe IV el gran poeta dramático español Calderón de la Barca y los pintores Velázquez y Murillo. Ase-

gúrase que el propio rey don Felipe IV era escritor y poeta de no medianas condiciones.

4. *conde-duque de Olivares.* Gaspar de Guzmán. Nació en Roma en 1587 y murió en la ciudad de Toro en 22 de julio de 1645. Nombrado gentilhombre de cámara del príncipe don Felipe, después cuarto rey de su nombre, halagando sus inclinaciones y sus vicios, le dominó completamente al extremo de entregarle el gobierno del reino inmediatamente después de su coronación. Persiguió sin piedad a sus enemigos personales, usando del poder oficial; y realizó tales arbitrariedades y atropellos que llegó a ser profundamente odiado por toda la Nación. Dilapidó los ejércitos y hacienda españoles en la guerra de treinta años y en la guerra de Holanda. Bajo su mando se insurreccionaron no solo los dominios, sino también las propias provincias españolas. Fué colmado de mercedes al extremo de tener una renta de cuatrocientos cincuenta y dos mil ducados. Víctima de una conspiración, que encabezaba la propia reina, perdió el poder, retirándose a la ciudad de Toro donde terminó sus días.

5. *Fleurus.* Comuna belga, cerca de la frontera francesa, que por su posición especial sobre la meseta que domina el lado izquierdo del río Sambra le da una importancia estratégica considerable, por lo cual ha sido testigo de innumerables batallas importantes. Aquella a que se refiere la leyenda ocurrió en 27 de agosto de 1622 entre los españoles y los protestantes alemanes. La leyenda da la batalla como ganada por los españoles, lo cual corresponde a la opinión de los escritores de esta Nación; pero los franceses y holandeses atribuyen la victoria a los protestantes que estaban mandados por el duque Christian Brunswick y el conde Mansfeld. Los españoles pelearon bajo las órdenes del general Córdoba, nieto del Gran Capitán, quien no pudo impedir a los holandeses que penetraran en

Holanda, aunque a costa de pérdidas sangrientas, donde se unieron al príncipe de Orange.

6. *murallas de San Juan.*

"La toma de la Capital por los ingleses, en 1598, al mando del conde de Cumberland, y por los holandeses, en 1625, comandados por Bouduyno Enrico, y el incremento que tomaban los bucaneros y filibusteros, situados en las islas Tortuga y San Cristóbal y San Martín, determinó el gobierno de la Corona a fortificar fuertemente a San Juan de Puerto Rico. El rey Felipe IV dispuso el amurallamiento de la ciudad en 1630, en tiempos del gobernador don Enrique Enríquez de Sotomayor. Dice el cronicón: (En su tiempo mandó S. M. que se cercase esta Ciudad por lo apretado de sus informes, y comenzó su cerca con tanto desvelo y trabajo que no reservaba ninguno, y al fin la dejó con una puerta y dos plataformas.)

"Continuó amurallando a San Juan, en 1635, el gobernador don Iñigo de la Mota Sarmiento. Agrega el cronista: (Siguió con tanto afecto la fábrica de las murallas, que en los seis años, que gobernó, acabó la cerca con tres puertas excelentes.) Y terminó su trabajo en 1639, según la plancha de cobre, puesta en el frontón de Santa Catalina, que dice así: (Para honra y gloria de Dios, reinando Don Felipe el IV, rey de las Españas, nuestro señor D. Iñigo de la Mota, su gobernador, capitán general, en esta ciudad e islas levantó y fabricó estos muros en los cinco años de su gobierno, 1639.)

"De modo que las murallas empezaron a levantarse en 1630, se continuaron en 1635 y se concluyeron en 1771, siendo gobernador don Miguel de Muesas, cuando quedó terminado el castillo de San Cristóbal, que viene a ser la defensa de tierra. Las obras finales de fortificación de esta plaza fueron aprobadas por S. M. en 25 de septiembre de 1765 y se principiaron bajo la dirección del comandante de Ingenieros don

Tomás O'Daly, el primero de enero 1766, gastándose cien mil pesos anuales, con un total de 2,310,625 pesos; sin contar lo invertido anteriormente.

"Esta ciudad después de artillada fué considerada como la segunda plaza fuerte de América, siendo la primera Cartagena de Indias. Se trajeron picapedreros de España y toda la piedra de sillería fué labrada en el país. La argamasa fué hecha con mezcla real, una de cal y otra de arena.

"La capital estaba circuída por un cerco de baluartes. Primero: Santa Catalina, que se empezó en 1533, después San Felipe del Morro, trazado en 1584, y finalmente San Cristóbal, con sus obras accesorias, plegadas a los accidentes del terreno. Donde está hoy el Morro hubo en 1580 un cubo y un bastión. Las obras avanzadas de tierra consisten en la parte más elevada del glacis de San Cristóbal, y que se llaman comúnmente Fuerte del Abanico, por afectar esta forma a causa de estar achaflanadas circularmente con la concavidad al exterior.

"El tesoro de México sufragó los millones que se necesitaron para esta formidable obra.

"El 16 de mayo de 1771, a las 8 de la mañana se rindió y cayó el lienzo de muralla de la puerta de San Juan y hubo que levantarlo de nuevo." Cay. Coll y Toste. *Boletín Histórico*. Tomo IX.

7. urca. Embarcación grande, muy ancha por el centro. Servía comunmente para el transporte de granos. En la leyenda el autor la usa como sinónimo de barco.

8. *príncipe de Orange*. Federico Enrique de Nassau Estatúder (primer magistrado de la república) de Holanda, nació en Delft en 1584 y murió en 1647. Sucedió a su hermano Mauricio en la dignidad de estatúder. Aumentó considerablemente el poderío marítimo de Holanda y las colonias holan-

desas en las Indias y preparó el reconocimiento por España en 1648 de la independencia de las Provincias Unidas.

9. *pedreros.* Se llamaban así a las antiguas piezas de artillería que servían para lanzar trozos de piedra como balas. Se cargaban por la culata y lanzaban piedras. Se dice que fué el sultán Mahometo II de Turquía, quien inventó los cañones pedreros.

EL PIRATA COFRESI
(1824)

I

La goleta "Ana," navegando de bolina y orza,[1] este, cuarta al nordeste, dobló punta Borinquen[2] e hizo frente a las embravecidas ondas del mar del Norte, dejando las tranquilas aguas del noroeste de la ensenada de Aguadilla.

—Aferra el trinquete[3] y afloja foque[4] y mayor, gritó Cofresí al segundo de a bordo; y echémonos mar afuera a ver si tenemos hoy buena fortuna a barlovento.

Las órdenes del pirata se cumplieron estrictas y la ligera nao empezó a navegar velozmente con todo su aparejo a vela llena. Las ondas se rompían impetuosas en su proa y azotaban con sus espumas blanquizcas la cubierta del barco. Las cuadernas de la goleta crujían de vez en cuando. Detrás iba quedando una estela de lechoso espumajo hirviente.

El horizonte estaba límpido, el cielo azul y el brisote frescachón que soplaba del este estaba fijo. La isla se iba perdiendo de vista. De cuando en cuando una gaviota pasaba graznando sobre la embarcación: parecía un pañuelo blanco arrojado en el espacio.

—Pilichi, dijo Cofresí al grumete, con soberbio

ademán, vé a mi camarote y tráeme el anteojo. Me parece divisar algo en lontananza.

Y el arrogante marino ponía la mano horizontal sobre las cejas, como una visera, para enfocar bien su mirada de águila y escudriñar las lejanías del mar. Recibido el catalejo lo tendió diestramente y, cierto de lo que presumía, por sus ojos fulguró un relámpago, y gritó al contramaestre con voz llena de fanfarria:

—Hazte cargo del timón, Galache, que tenemos enemigos a la vista.

Era un *brick*[e] danés que conducía mercaderías de Nueva York a San Thomas. Para tal época esa isla, con su puerto franco, era un depósito de grandes aprovisionamientos de telas, ferretería y artículos de lujo traídos de Europa y Norte América para surtir las Antillas y Venezuela. Cada vez se distinguía más claro el confiado buque mercante. Cofresí pasó al entrepuente de proa e hizo en su presencia cargar el pedrero de bronce con un saquillo de pólvora y abundante metralla. Despues se cercioró que estaba fuerte el montaje de la cureña y firmes las gualderas. Entonces marchó a popa donde reunió su gente, llamando a cada uno por su nombre, y les dió sus instrucciones. Revisó severamente machetes y cuchillos. Hizo traer más armas blancas y ordenó ponerlas en un sitio especial en el combés cerca del palo del trinquete. Y tranquilamente se puso a amolar, con sumo cuidado, su hacha de abordaje.

EL PIRATA COFRESI

II

La gente del bergantín, al divisar la goleta, izó la bandera danesa en señal de saludo. La velera "Ana" izó bandera de muerte, es decir, la bandera negra de los piratas. El *brick* ya no podía huir y afrontó el peligro. La goleta era muy andadora y se había aproado directamente al enemigo. El bergantín estaba abarrotado en su carga. Su tripulación comprendió que tenía que habérselas con un barco pirata. Pronto la borda del *brick* fué ocupada por diez rifleros alineados que hicieron fuego de fusilería. Eran malos tiradores. Las balas atravesaron el velamen de la "Ana" y algunas se incrustaron en la obra muerta[7] del casco. Entonces las armas de fuego no eran de repetición; de modo que mientras las cargaban de nuevo los tiradores del bergantín, la goleta se puso a doscientos pies de distancia y le lanzó una descarga de metralla con el pedrero de proa. El ruido del cañón impresionó a los marineros del *brick* y antes que pudieran disparar por segunda vez sus rifles, ya la "Ana" estaba al abordaje, ceñida al buque contrario por estribor.

Cofresí, hacha en mano, seguido de los suyos, saltó ágil y célere al buque abordado y atacó cuerpo a cuerpo a los defensores del *brick*. Estos no estaban preparados para un combate al arma blanca. Sonaron tres o cuatro tiros y quedó despejado el entrepuente.[8] Los marineros del bergantín se refugiaron en las bodegas. Rápidamente se adueñó Cofresí del buque dando muerte al timonel y a algunos marinos que quedaron sobre cubierta. Después cerraron las escotillas[9] y quedó preso bajo cubierta el resto de la tripulación del *brick*. El capitán danés estaba junto al palo de mesana, en un charco de sangre, con la cabeza abierta de un hachazo. Los cadáveres fueron arrojados al mar y empezó el alijo de la sobrecubierta. En seguida se saquearon las bodegas con suma precaución y se trincaron bien los presos que iban apareciendo. Luego de saqueado el bergantín se le dió barreno, y se desatracó el pirata para verlo hundirse. El *brick* dió una cabezada primero y se inclinó de proa; después se fué sumergiendo poco a poco hasta que de repente desapareció bajo las aguas.

La "Ana" hizo entonces rumbo hacia la Isla, que se divisaba a sotavento, y maniobró en demanda de punta San Francisco para ocultarse en Cabo Rojo.

III

El comercio de San Thomas estaba aterrado con las depredaciones de Cofresí. Por fin el gobierno de Washington intervino y dió orden al Almirantazgo de castigar al pirata puertorriqueño. Pronto llegó a conocimiento de Cofresí que un barco de guerra norteamericano había venido a ayudar a las autoridades de la Isla para capturarlo o destruirlo. Entonces abandonó sus correrías por aguas del Atlántico y se pasó al mar Caribe.

Estando la "Ana" fondeada en el puerto de Bocas del Infierno divisó en lontananza una vela, y Cofresí con su velera nao salió prontamente a apresarla. Pero esta vez fué por lana y le zurraron la badana. Tan pronto estuvo a tiro de cañón recibió un balazo en el bauprés que le hizo comprender que se las había con un barco de guerra. No obstante, se le fué encima valentísimo y le hizo fuego de fusilería y cañón, siendo recibido de igual modo. Viendo la superioridad del contrario viró de redondo y a todo trapo emprendió la huída. La goleta, descalabrada, izó la escandalosa[10] sobre los cangrejos para escapar mejor, utilizando el viento de popa que le soplaba. Cofresí se puso al timón porque la "Ana" era una nave de buen gobierno y muy veloz, y dirigió la goleta paralelamente a la costa, bojeando el sur y burlándose de sus perseguidores hasta que la embarrancó en un bancal diestramente. Echados un bote y una chalana al agua ganaron los piratas la playa, librándose del buque de guerra que no pudo alcanzarlos, ni maniobrar con sus botes por aquellos sitios inabordables.

IV

Ya en tierra dividió Cofresí su gente en dos grupos, dándoles por punto de reunión la playa de Cabo Rojo. Antes enterraron lo que pudieron salvar de la "Ana." Cada grupo bien armado emprendió la fuga por distinta vía.

Como las Milicias Disciplinadas estaban patrullando por aquella costa, pronto los dos grupos tuvieron que batirse y abrirse campo a sangre y fuego, volviendo a subdividirse, fatigados y jadeantes, hasta que acosados por la caballería tuvieron que rendirse a sus perseguidores. El jefe pirata fué cogido después de reñida refriega, todo cubierto de heridas.

V

Roberto Cofresí y Ramírez de Arellano, natural y vecino de Cabo Rojo, era un joven altivo, de veintiseis años de edad, robusto, valiente, audaz y de bravo aspecto. Unido a quince compañeros de la piel del diablo, eran el terror de estos mares antillanos con sus piraterías.

Para satisfacer a la vindicta pública y asegurar el reposo y tranquilidad de estas islas, fueron pasados por las armas en la mañana del 29 de marzo de 1825. Un gentío inmenso presenció el horroroso espectáculo en el Campo del Morro. Un destacamento del Regimiento de Infantería de Granada formó el cuadro para conservar el orden. Una descarga cerrada de un piquete de tiradores, a una señal sigilosa convenida, hizo que once de aquellos desgraciados pasaran a la eternidad. Los otros habían muerto en los combates sostenidos con las Milicias.

Satisfecha la curiosidad y llena de pavor dispersóse la muchedumbre conmovida.

Las tropas volvieron a sus cuarteles a redoble de tambor.

Y los cadáveres mutilados por la justicia humana quedaron expuestos al público por veinticuatro horas para escarmiento de malhechores.

Los hermanos de la Caridad, que no comulgan con el odio social, previo permiso del Gobierno, dieron sepultura a aquellos cadáveres en el cementerio de Santa María de la Magdalena.

Así terminaron el valiente Cofresí y sus intrépidos compañeros de correrías piráticas.

NOTAS

1. *bolina y orza*, se dice de la navegación de un barco de vela cuando marcha inclinando la proa hacia la parte de donde viene el viento.

2. *punta Borinquen*. Nombre del cabo de la Isla de Puerto Rico entre Isabela y Aguadilla.

3. *trinquete*. Palo que se arbola inmediato a la proa en las embarcaciones que tienen más de uno. La vela que se iza en el palo trinquete.

4. *foque*. Cada una de las velas triangulares que se colocan transversalmente desde los masteleros de proa a los botalones del bauprés y recogen el viento de soslayo.

5. *bauprés y mayor*. Se llama *bauprés* el palo grueso que sale de la proa de una buque para fuera, con más o menos

inclinación al horizonte, y que siendo uno de los principales de la arboladura sirve para amarrar los foques.

Se llama *vela mayor* la principal de un barco que va en el palo mayor.

6. *brick*. Palabra inglesa que españolizada se dice *brigbarca*. Barco bergantín grande que además de sus dos palos ordinarios lleva otro pequeño a popa para armar una pequeña vela que se llama la cangreja.

7. *obra muerta*. Las obras exteriores de una embarcación que están sobre la línea del agua.

8. *entrepuente*, espacio que hay entre las cubiertas de una embarcación.

9. *escotillas*, aberturas con escaleras que dan paso del entrepuente al interior de un barco.

10. *escandalosa*, vela triangular o cuadrilátera que en algunos buques se larga sobre las cangrejas.

11. *La historia de Cofresí*. El Dr. Coll y Toste, autor de esta leyenda, en el *Boletín Histórico*, relata de esta manera la historia del célebre pirata:

"Roberto Cofresí nació en Cabo Rojo, y era hijo legítimo de Francisco Cofresí y María Germana Ramírez de Arellano. Estuvo casado con Juana Creitof. Ignoro si tuvieron hijos. Se dedicó a la piratería con otros jóvenes como él, de la piel del diablo.

"Las depredaciones que ejercían estos piratas en aguas del Atlántico intercolonial y en el Mar Caribe tenían en continua alarma al comercio de todas estas islas del archipiélago antillano. El gobierno de los Estados Unidos tomó cartas en tan enojoso asunto y dictó la orden de combatir con energía a los piratas de las Antillas. El gobernador don Miguel de la Torre tomó también rigurosas medidas en la Isla para perseguir a los piratas.

"Roberto Cofresí ignoraba la tempestad que se iba a desencadenar contra él y sus intrépidos compañeros. Reposaba de sus raterías marítimas frente a Boca del Infierno, en la costa de Guayama. La velera balandra "Ana", de que se había apoderado, había sido construída en Fajardo y pertenecía a un tal Toribio Centeno. Avisado el Comandante militar del Departamento del Sur, don Tomás de Renovales, de que la goleta de Cofresí estaba fondeada en Boca del Infierno, se puso de acuerdo con el Alcalde de Ponce, capitán don José de Torres, y con el capitán de una goleta de guerra americana que se encontraba en el puerto de aquella ciudad; tripularon la balandra "San José y las Animas", de la propiedad de don Juan Bautista Piereti, quien se dispuso a dirigir la expedición contra el célebre pirata caborrojeño.

"Embarcaron en la balandra el capitán americano Garret S. Pendegrast, el segundo George A. Magrades, el tercero Francis Storer, el cirujano Samuel Bidee y veintitrés marineros armados. Se puso en la balandra un cañón de a seis, e izaron velas en busca del enemigo. Piereti iba al timón como conocedor de aquellos lugares marítimos llenos de bajos y restingas. El día 5 de marzo, a la una de la tarde divisó Cofresí el barco que iba en su persecución; creyó que sería una buena presa y se le echó encima. A tiro de pistola descargó la "San José" contra la "Ana" la metralla de su cañón y los veintitrés fusiles de su marinería. Cofresí contestó intrépidamente por tres veces a sus contrarios. Cuando juzgó la superioridad del enemigo viró de bordo su goleta y se dirigió a tierra; y varó su barco en el playín más cercano. El combate había durado 45 minutos y la "Ana" fué apresada por la "San José". Los piratas derrotados ganaron la costa bajo el fuego continuo que les hacían sus perseguidores. Se calculó que Cofresí había perdido la tercera parte de su gente a juzgar por los cadáveres que se encontraron sobre la cubierta de su encallado buque. Se apresaron seis fusiles, un cañón de a seis, algunas provisiones y papeles en inglés y en español.

"Cofresí ganó afortunadamente la playa costera con algunos amigos, salvados del combate. En tierra le esperaba la persecución del capitán don Manuel Marcano, ayudante de la Comandancia Militar del Sur, quien lo apresó con dos malhechores más después de hacer inútil resistencia. Los presos fueron llevados a Guayama; y según informes de don Francisco Brenes al Gobernador, se cogió a Cofresí lleno de heridas, y otro pirata cayó al suelo de un trabucazo. El parte oficial termina diciendo "al Cofresí se le han curado todas las heridas, que según el pronóstico del facultativo, don Francisco Roso, no morirá pronto de ellas". Y más adelante añade al enviar cinco reos a San Juan: "Cofresí tal vez no se podrá remitir tan pronto por el mal estado en que se halla, si acaso no muere".

"La guarida natural de Cofresí era la isla de la Mona, donde en 1824 había sido ya sorprendido y despojado de la embarcación que tenía, habiéndole muerto en rudo encuentro un compañero llamado el *Portugués* y otro amigo de nombre Pepe Cartagena. Se le apresaron cuatro piratas. El terrible paladín pudo huir en un bote, que le quedaba, hacia las costas de Santo Domingo. Las autoridades dominicanas, avisadas, lo apresaron y condenaron a seis años de presidio. De la carcelería dominicana se fugó Cofresí con un compañero atrevido, llamado Portalatín, compró un bote en Macorix e hizo rumbo a Puerto Rico, desembarcando en puerto de la Lima (Naguabo) a Portalatín y siguiendo él para la isla de Vieques. En la antigua *Bieque* hizo leva de bandidos y reunió catorce hombres arrojados y valientes de pelo en pecho. Regresó al puerto de Lima, robando de paso en Humacao un cañoncito de un buque en construcción. Tenía entonces a sus órdenes quince piratas.

"En su declaración ante el fiscal de S. M. confesó Cofresí haber apresado en Vieques una balandra francesa y una goleta danesa, en St. Thomas un guairo, un bergantín y una goleta de Santo Domingo, un balandro cargado de ganado en Boca del Infierno, otro guairo en Patillas, a cuyo capitán le quitó 800 pesos en dinero y una goleta americana en Punta de Piñones, (frente a Laguna de Piñones, Río Piedras), despojándola de su cargamento, que valía ocho mil pesos.

"Cofresí, de veintiseis años de edad, y diez compañeros de piratería fueron fusilados en el Campo del Morro el 27 de marzo de 1825, quedando satisfecha la vindicta pública, como rezan los viejos papeles de antaño."

CARABALI
(1830)

I

CAMINANDO de la ciudad de Arecibo hacia la de Utuado, en la isla de Puerto Rico, se encuentra el viajero en una de las cumbres con una caverna fantástica. Hay que atravesar primero la extensa y pintoresca vega por donde serpentea el caudaloso río *Abacoa*,[1] cual inmensa cinta de plata, para luego ganar las estribaciones de la abrupta montaña.

En la campiña ondula por doquiera la dulce gramínea sacarina, en masas apretadas; por las alturas, según se asciende, escasea ya la fuerte y útil vegetación, y dominan la escena la esbelta palma real, árboles frutales de frondosas copas y zarzabacoas, lianas y helechos.

Fuera de la vía común y tomando tortuoso sendero se llega al fin a columbrar una mancha negruzca en una gran roca. Esta es la entrada de la Cueva de los Muertos. Para penetrar en la sombría gruta hay necesidad de inclinar el cuerpo y andar a gatas. Dentro de la caverna se siente una atmósfera húmeda y no es fácil distinguir en seguida los objetos. Poco a poco la pupila se va dilatando para recoger la poca luz que allí se irradia. Entonces puede verse algo en aquella semi-obscuridad e indecisa penumbra. Los murcielagos revolotean por la alta bóveda.

Si el viajero enciende su linterna, todo se ve de repente con contornos tenebrosos y fantasmagóricos. Rocas peladas, estalactitas y estalagmitas. Y si se avanza hacia el fondo de la caverna, se encuentra una cortadura extensa en el suelo, que da nacimiento a un abismo insondable y obscuro.

Esa enorme grieta es la boca de un precipicio. Si audaz el viajero se inclina ante el mohoso borde del abismo, no distingue nada y siente vértigos y respira un vaho húmedo que asciende del fondo de aquella cavidad subterránea.

La caverna tiene arrugas por todas partes, trabajadas por imperceptibles hilillos de agua: hijas esas deformidades, de la lucha perenne del gotear sutil y tenaz sobre el grano de arena cuarzoso, que se defiende cediendo algo de sus dominios.

El sitio, con su húmedo verdor, es lúgubre: y el pensamiento combatido por ideas melancólicas induce al viajero a abandonar aquel triste lugar tan pronto nota esparcidos por el suelo huesos de animales, en abundancia, revueltos con estiércol de aves.

Los vecinos la llaman *Cueva de los Muertos* porque antes se encontraban cráneos humanos mezclados con las osamentas. Todavía no falta quien considere la gruta encantada, embrujada, por haber sido refugio de esclavos, huídos de los ingenios,[2] cuyas almas en pena por haber muerto en pecado mortal, salen, cual duendes de aquelarre, la noche de San Blas, a maldecir a los dueños de la hacienda de este nombre. De las ruinas de este ingenio no resta ya más que un montón de pedruscos de su gigantesca chimenea y el recuerdo de las terribles venganzas de *Carabalí*, el negro desertor, cuya cuadrilla de salteadores fué por mucho tiempo, el espanto y quita-sueño de mayordomos y capataces.

La fuga de un esclavo traía consigo, una cacería con avidez perversa. Aquello era monstruoso por lo inicuo. Una multitud de canes, guiados por pérfidos hombres, husmeaban y perseguían a otro hombre, que se resistía a ser bestia de carga, y lo rastreaban y acorralaban como a un jabalí.

He aquí la historia tenebrosa de la Cueva de los Muertos.

II

Carabalí había podido evadirse por tercera vez del cepo[3] de la cárcel del ingenio *San Blas*, y auxiliado por la obscuridad había ganado la montaña. Los guardianes nocturnos de la hacienda se habían concretado a dar cuenta, al día siguiente, de la fuga del rebelde esclavo.

El mayoral lanzó una mal sonante imprecación y mandó llamar al capataz primero, quien no tardó más que algunos instantes en acudir al superior llamamiento.

—Oiga usted, Samuel, reuna inmediatamente la jauría y los hombres que necesite y emprenda la persecución de ese maldito negro, que nos desacredita ante el amo. Hay que hacer un escarmiento en esta atrevida canalla. Me lo trae usted vivo o muerto.

III

La neblina que había caído el día anterior sobre el abra del ingenio se había ido extendiendo desde el mediodía y condensando en torno de las cimas de las fábricas, cuarteles y casas de vivienda de *San Blas*, y había favorecido la huída del testarudo africano. Los mayordomos, segundos y capataces, huyendo de la fina garúa que les molestaba, azotándoles el rostro, se habían recogido al comedor de su departamento a tomar ginebra para calentarse el cuerpo. Y una negra vieja, fuera de trabajo por derrengada e inútil, llamada *la Monga*, había favorecido en los preparativos de fuga al desertor reincidente.

La niebla, de lechosa se había vuelto poco apoco gris, y la llovizna persistente lo salpicaba todo, convirtiendo los pisos barrosos del batey en lodazales. La noche se vino encima a más andar, sin los crepúsculos del atardecer tropical.

Carabalí, arrastrándose primero y luego a gatas, avanzó hacia el boscaje, y, ganado el enmarañado macizo del bosque, se enderezó cual largo era, aspiró el aire a pulmón pleno, volvióse hacia el ingenio, cuya alta chimenea se destacaba entre la densa bruma, y la amenazó colérico con el puño apretado. Luego echó a andar con paso firme y seguro, venciendo obstáculos, hacia la cumbre de la montaña, ganoso de buscar amparo en la tenebrosa caverna que allí había. También la obscuridad nocturnal, que en principio le había sido útil, ahora le estorbaba para ganar terreno; pero el instinto de conservación le servía de acicate en aquellos crueles momentos. Sabía que al amanecer marcharían en su busca los implacables capataces y segundos, auxiliados de los feroces adiestrados. Era preciso por tanto, ponerse cuanto antes en cobro, fuera del alcance de los terribles colmillos de los canes.

IV

Llegado a la gruta, *Carabalí* penetró en ella como un reptil se desliza en su agujero. Le era conocida. En sus dos fugas anteriores se había acogido siempre a ella y le habían capturado cuando imprudentemente había bajado al llano.

A ciegas y a tientas buscó en el suelo, palpando en la orilla de la entrada. Pronto encontró lo que buscaba porque lanzó una exclamación de gozo. Eran frágiles trozos de madera, fofos y secos, con los cuales hizo prontamente lumbre, frotándolos con rapidez una contra otro.

El chispazo de luz invadió la extensa bóveda de la caverna. Volaron precipitadamente algunos murciélagos. Mas el prófugo estaba en su casa. Se encontraba rendido de cansancio, pues había caminado más de una legua por entre matojos, lianas y arbustos para ganar la inaccesible cumbre, escalando las ásperas laderas y las escabrosas breñas, a fin de refugiarse en la cueva, de él tan conocida. Sacó del bolsillo de su pantalón un trozo de tabaco torcido, arrancóle un pedazo con los dientes, guardó cuidadosamente el resto, apagó la lumbre y entregóse al sueño que sin dificultad vino presto a apoderarse de aquel estropeado cuerpo

V

La mañana fué esplendente; y bien de madrugada estaba todo preparado en el ingenio para la caza del esclavo huído. Samuel montó en su brioso corcel, y levantando el látigo de puño de metal y fuerte rabiza, dió la voz de marcha. Había que empezar el ojeo primeramente por los contornos del edificio, porque en los cerrados platanales se quedaban ocultos muchos de los fugitivos siervos. Se formaron dos grupos que tomaron opuestas direcciones, y empezó la cacería dando suelta a dos perrazos que ladraban furiosamente A la hora larga, estaba explorado el denso bosque de bananos que circundaba con sus esmeraldinos abanicos de amplias hojas el churrigueresco edificio azucarero.

—Fórmense cuatro grupos, dijo Samuel, y explórese todo hasta llegar a los términos de las guardarrayas y a los escondrijos de los picachos. Y soltad los otros perros uno a uno, y azuzarlos siempre en dirección de las cumbres, donde nos encontraremos para bajar unidos, batiendo los cañaverales por sus callejones.

Como se precipita un torrente desbordado, desapareció entre las malezas y arbolillos aquella avalancha de hombres y animales. La plaza del ingenio quedó desierta. Solamente la raqueante *Monga* estaba allí, contemplando con los amarillos ojos inyectados de sangre, y un convulso rictus en los labios, a aquella caravana de seres desnaturalizados, más perversos los hombres que los canes, que iban a perseguir despiadadamente a su infortunado paisano.

VI

Carabalí abrió los ojos con los primeros resplandores que sucedieron al alba y penetraron en la gruta iluminándola. Estiró los entumecidos miembros y se desperezó. Acurrucado en un montón de paja había dormido toda la noche sin moverse. Tal era la necesidad de reposo que tenía cuando ganó la caverna en la fatigosa huída del día anterior.

—Hoy vendrán de seguro en mi busca, se dijo a sí mismo. Quedóse pensativo y agregó:

—Está bien: ¡yo venderé cara mi vida!

La Monga le había proveído de un machete *perrillo*, que había robado en el almacén para dárselo. Tuvo que buscar una piedra arenisca para amolarlo; y vació una higuera de su endocarpio para hacer una jícara y proveerse de agua. No había tiempo que perder. Sacó filo al machete desde la punta al cabo. Después exploró los alrededores de la gruta y se desayunó con frutas silvestres.

—Ya estarán armando el cotarro para prenderme. ¡Trabajo les mando!

Y para probar el corte de su espadín le tiró un mandoble a un grupo de lianas que colgaban del tronco de una copuda ceiba. Las colgantes enredaderas rodaron tajadas por el suelo.

—Bien; ¡de primera! Ahora a cerrar la entrada para evitar una sorpresa; después obstaculicemos la subida.

Y empezó la faena de cortar arbustos y ramajes para formar barricada frente a la boca de su guarida. Descansó luego un rato para tomar aliento. Sentado sobre un peñasco mordió unas frutas estando en atisbo perenne al menor ruido que venía de afuera. De nuevo en su faena, le pareció oir, espaciado en el aire, el lejano ladrido de un perro. Entonces se echó al suelo, aplicó el oído contra la tierra y se levantó rápidamente. El enemigo se acercaba. Los ladridos iban siendo cada vez más claros. Penetró en la cueva y cerró por completo la entrada, dejando únicamente a flor de tierra un pequeño agujero, del tamaño del palmo de la mano. Luego se puso en guardia. Los ladridos eran cada vez más cercanos. Nervioso e impaciente, el infeliz fugitivo volvió a morder su tabaco. Por fin, sintió la jauría junto a la puerta de la caverna.

El can que llegó primero, ágil y atrevido, metió la cabeza por el agujero y empezó a forzar la entrada tan pronto olfateó al africano. En seguida que pudo metió una pata y toda la cabeza. Entonces *Carabalí* de un machetazo le cercenó el cuello. Y volvió a obstruir lo que el perro había descubierto. Así pudo matar tres de aquellos fieros animales. Pero, en el cuarto erró el golpe y le partió el hocico y una oreja. El animal, dando espantosos alaridos se replegó a donde estaban los capataces. Estos, al ver el can herido, se dieron cuenta que estaban en el rastro de la presa que buscaban. Hicieron uso de sus escopetas para amedrentar al prófugo y emprendieron la subida por aquellas escabrosidades, con toda clase de precauciones. Desde la boca de la gruta repitieron los escopetazos Los disparos hacían ecos rápidos en la montaña inmediata. *Carabalí* comprendió que estaba perdido, porque la caverna no tenía más que aquella salida y le sería imposible combatir contra aquellos hombres que tenían armas de fuego. Empero, juró de nuevo no entregarse vivo y matar a los que se pusieran al alcance de su espadín.

La traílla ladraba afuera furiosamente. Y agrandando el boquete se precipitaron por él dos perrazos. Intrépido el fugitivo les hizo frente con su machete y los mantuvo a raya, pues a uno le picó una pata y a otro un costado: ellos, agresivos, ladraban alrededor de él, pero una perra ladina que se deslizó furtivamente sin percibirlo el africano se le prendió de una pantorrilla. El agredido dió un grito agudo que no pudo evitar lanzarlo por la sorpresa del mordisco. Volvióse, no embargante, y de un mandoble formidable dividió la perra en dos pedazos. El angustioso quejido del rebelde llegó a los oídos de sus perseguidores.

—Ya la perra hizo presa, dijo Samuel con la mayor sangre fría, empedernido en aquella clase de caza. Y prendió un tabaco. Después de tirar el fósforo, añadió. dirigiéndose a los acompañantes:

—Entrad presto para evitar que los perros lo inutilicen o despedacen.

Cuando *Carabalí* se sintió herido y vió la jauría en torno suyo se fue defendiendo con tajos y mandobles, fatigoso y angustiado, y retrocediendo al mismo tiempo al fondo de la caverna.

En la ansiedad de defender su vida se había olvidado de la cortadura del piso y del precipicio. De pronto le faltó la tierra bajo los pies y desapareció en aquellas profundidades tenebrosas. La traílla se detuvo en el escarpado borde del abismo y empezó a ladrar con mayor ahinco al verse impotente para perseguir al desaparecido. Los capataces al penetrar en la gruta, se acercaron a la peligrosa sima con horror.

—¡Quinientos pesos perdidos!, gruñó Samuel, mordiendo con ira su tabaco.

—Lo siento por mi perra, replicó otro capataz. No la encontraremos mejor para husmear esta gentuza y hacer presa prontamente en sus pantorrillas.

—¡No hay mal que por bien no venga!, exclamó

otro de los perseguidores. Salimos ya de esta mala cabeza, que traía revuelta la negrada del ingenio. ¡Que se vaya a vivir con Barrabás! Esta casta de negros colorados es verdaderamente muy soberbia. No sirve para trabajar los campos.

—Siempre he aconsejado al amo, repuso Samuel, que compre negros congos, que son humildes y sufridos. ¡Ea, a retornar! La expedición ha fracasado esta vez. Vamos a ver ahora como nos recibe el mayoral, después de tantos trabajos pasados por estos andurriales y arcabucos desde el amanecer. Si el amo se enfurruña, tendremos que pagar el negro a prorrateo o perder la colocación con el soporte de mal empleado.

VII

Carabalí había caído en un arroyo pantanoso desde una altura de más de cien pies. El limo, otras veces necíparo, le salvó, porque no recibió golpe alguno al introducirse en él como enfundado. Una vez desaparecido el vértigo del descendimiento, y dándose cuenta de su crítica posición se encontró en el fango hasta más arriba de la cintura. El agua que rezumaba de la gruta y de aquella charca se deslizaba lentamente por una abertura, por la cual entraba también la escasa claridad que allí había.

Carabalí con grandes esfuerzos se fué acercando hacia la abertura y divisó por ella la chimenea del ingenio *San Antonio* que estaba fundado al otro lado de la montaña. Entonces comprendió que aquella cumbre venía a ser la divisoria de las dos haciendas. Con grandes penalidades salió del pantano y después de orientarse bien, pudo recuperar su machete, que había soltado de la mano al rodar por el abismo. Con tan buen compañero procuró mejorar la nueva guarida y formóse su cobijo.

A los pocos días bajó *Carabalí* al llano opuesto y pudo cautelosamente reunir en su torno algunos desertores de aquella comarca: pobres africanos atropellados por sus amos inicuamente. Entonces acordó con ellos trabajar en la piedra una imperceptible subida a la cueva para merodear en los alrededores del ingenio *San Blas* y respetar a los dueños del *San Antonio*, a fin de no despertar sospechas por aquel lado de la montaña.

Carabalí y su cuadrilla llegaron a infundir pavor y espantoso pánico entre los capataces y mayordomos de la hacienda *San Blas* porque algunos de sus empleados más adictos se habían encontrado asesinados en las cañadas.

En vano los soldados del Gobierno habían cooperado con las gentes audaces del ingenio a batir a los bandoleros. Al atacar la cueva no encontraban más que osamentas de toda clase de animales y algunos esqueletos humanos desparramados. Con la impresión desagradable de aquellos despojos se aproximaban amendrentados al borde musgoso del precipicio impenetrable y oscuro, cuya cortadura consideraban peligrosísima, porque por ella había caído al abismo un negro fugitivo.

Por fin en el ingenio *San Blas* surgió la superstición, alentada por la astuta *Monga*, de que el alma èn pena del infeliz *Carabalí* era la que salía de noche con su falange de espíritus malignos a asesinar capataces y a robar ganado y aves de la hacienda para ofrendárselos a Satanás, y que no había tales bandoleros.

Algunas noches al claror de las estrellas, se veía salir de la cumbre de la montaña una densa humareda, como de fogata, y los guardianes asustados, enseñándose unos a otros el fenómeno de hechicería, afirmaban que el alma de *Carabalí* y su comparsa infernal estaban haciendo sacrificios a Luzbel. Si se daba cuenta al mayoral de lo que ocurría, se persignaba de frente a pecho y de hombro a hombro, y ordenaba que se rezara, en seguida, un rosario para ahuyentar aquellas brujerías.

VIII

Han pasado muchos años de estos sucesos, y todavía aquella caverna es denominada la *Cueva de los Muertos*, y los viajeros que la visitan, no pueden evitar cierto temor y malestar, que les comunican los campesinos guías al ver esparcidas por el suelo tantas osamentas; y al poco rato, contagiados los visitantes con el supersticioso relato de las fechorías de *Carabalí* y su cuadrilla, dan la orden de abandonar la gruta.

En ciertas horas y en ciertos sitios, los espejismos de óptica y los azoramientos de la conciencia sumergen al hombre en tal sobresalto místico, que le obligan a huir cobardemente en busca de otro lugar más seguro, como si se tratara por instinto de un salvamento. Esto les ha pasado siempre y continúa ocurriendo a los curiosos exploradores que visitan la *Cueva de los Muertos.*

NOTAS

1. *Abacoa.* Nombre con que designaban los indios el Río Grande de Arecibo.

2. *Ingenio.* Factoría de manufacturar azúcar de caña. Es interesante conocer la historia del cultivo de la caña de azúcar, durante la época de la colonización. Tomándola de un trabajo del propio autor de la leyenda, aquí la reproducimos:

"Aunque Colón, el año 1493, en su segundo épico viaje traía entre las varias simientes para las nuevas tierras la caña de azúcar y sembrada en la ciudad Isabela a los quince días eran de a codo los retoños, según refiere Pedro Mártir de Anglería, no se le dió impulso a la explotación de esta gramínea hasta 1507, que Pedro de Atienza, en la ciudad Concepción de la Vega, desarrolló un gran cañaveral, y Miguel Ballester, natural de Cataluña, hizo azúcar. Dos años después, en 1509, el bachiller Gonzalo de Velloza llevó a La Española desde Canarias unos maestros azucareros y fundó un trapiche de caballos en la ribera del Nigua.

"Luego, en 1510, fundaron ingenios el visorrey D. Diego

Colón, el Comendador de Azua, los hermanos Tapia y otros vecinos. El 22 de febrero de 1525 escribía desde Madrid, Mártir de Anglería al arzobispo de Cosenza, dándole la buena nueva de que habían llegado a Sevilla, procedentes de La Española, tres embarcaciones cargadas de panes de azúcar y pieles de bueyes, y que éstos abundaban tanto en ella que no sabían qué hacer con ellos. En 1546 había en La Española veinte ingenios hidráulicos y cuatro trapiches de caballos; y se cotizaba el azúcar en la ciudad de Santa Domingo a peso y peso y medio, oro, la arroba de veinte y cinco libras.

"A Puerto Rico se importó la caña de azúcar desde La Española; pero en las Ordenanzas del Rey, dadas en Valladolid el 27 de septiembre de 1513, para remedio de la población de la isla de Sanct Xoan, no se la cita. Unicamente dispone, que todo vecino que tuviere indios será obligado a plantar en espacio de dos años cuatro árboles de cada especie, de granados perales, manzanos, camuesas, duraznos, albaricoques, nogales y castaños, ya se cultivaban las hortalizas y el maíz, arroz y los tubérculos farináceos propios del país.

"Indudablemente hubo en la isla de San Juan, en un principio, sus pequeños cañaverales y alguno que otro trapichito, melaero, de poca monta; pero el primer ingenio azucarero lo fundó Tomás de Castellón, en San Germán. Era un ingenio de caballos. Castellón fué arrendatario del almojarifazgo desde 1524 hasta 1527 en que falleció. No andaría muy boyante este ingenio cuando el licenciado Juan de Vadillo, con fecha 20 de marzo de 1527, desde la Capital escribía al emperador Carlos V, que había concedido suspensión de cobranzas, de deudas, tomando fianza por la de Tomás de Castellón. Y lo comprueba que los Oficiales Reales escribían al monarca, en 1529, que convenía que las Cajas Reales prestasen dinero para hacer tres o cuatro haciendas de azúcar. En marzo y agosto de 1533 se enviaron a Sevilla desde Puerto Rico en dos naves, 952 arrobas de azúcar, de tres ingenios; y además, 8.500 pesos de oro de las minas. Y eso, que los vecinos estaban fatigados por la tormenta del año 1530. En 1538 comunicaron los Oficiales Reales al Emperador, que agotándose la explotación de los placeres auríferos, convendría fomentar ingenios azucareros, facilitando las Cajas Reales seis mil pesos a dos vecinos por cuatro años. El monarca contestó en 1540, que se haga.

"En el Partido de Puerto Rico había en 1542 cuatro ingenios; y en el Partido de San Germán, uno. Este fué saqueado y destruído por corsarios franceses. En 1543 se impuso contribución por primera vez a la exportación de los azúcares y de los cueros. En 1548 fundó Gregorio de Santolaya un trapiche de caballos con el nombre de Santa Ana, en Bayamón, y otro, en 1549, de motor hidráulico, bajo la advocación de Nuestra Señora de Valle Hermoso; ambos en términos del Partido de Puerto Rico. Este año fué que don Diego Lorenzo, canónigo de Cabo Verde, enseñó a los puertorriqueños cómo se habían de fabricar los ingenios de agua para hacer azúcar; amén de traernos las gallinas de Guinea y las palmas de coco. ¡Y no hay, ni una calle, ni un callejón, que lleve su nombre!

"En 1549 Alonso Pérez Martel con mil quinientos pesos, facilitados por la Real Hacienda, a préstamo, fundó un ingenio de hidráulica a tres leguas de la Capital. En 1550 escribía el doctor Vallejo al Emperador: "La isla estaba decaída porque andaban flacas las minas; ahora con el trato de azúcar está próspera". En 1552 prestaron las Cajas Reales otros dos mil pesos, para un ingenio azucarero a Luis Pérez de Lugo.

"Ya hemos dicho que en 1582 había once ingenios. Eran como aldehuelas: algunos tenían iglesia y capellán. En 1646 no había más que siete ingenios. Dos años antes, en el mes de septiembre, había sufrido la isla un fuerte huracán, que derribó la iglesia de la Capital y muchas casas. En 1647 no habían aumentado los ingenios. Quedaban cuatro en el río de Bayamón, dos en las riberas de Toa, y uno hidráulico, en Canóbana. Habían desaparecido los de Loíza, Pueblo Viejo y Toa Arriba. En cambio había trapiches melaeros en San Germán, Arecibo y Coamo. En 1765 existían únicamente cierto número de trapiches, que cubrían el consumo de los habitantes de la isla en azúcar, miel y aguardiente. Ese mismo año aconsejaba el Gobernador al Rey la conveniencia de dar en propiedad las tierras a los vecinos para animarlos en el cultivo de ellas. Aconsejaba también fundar un ingenio azucarero por cuenta de la Corona; y que hombres de capital establecieran haciendas para explotar la caña de azúcar.

"La decadencia en que había caído la riqueza sacarina no dependía de pereza y vagancia de los naturales del país, como indicaba O'Reilly, sino de que no había facilidad para explotar los frutos, pues los barcos que venían de España pasaban de largo frente a nuestras costas; si acaso tocaban, era para hacer aguada y seguían en demanda del Continente; y al retornar tampoco nos visitaban. Se carecía de medios de enviar los azúcares al mercado de Sevilla. Además, el monopolio comercial de dicha ciudad, con exclusión del resto de la Península, era otro gran entorpecimiento. Ya en 1520 se quejaban de ello, en una Probanza, los procuradores de La Española; y los Oficiales Reales, desde Santo Domingo, a 20 de agosto, decían al Emperador: "Insistimos, en que los azúcares de esta isla puedan llevarse a todas partes de sus señoríos, sin obligación de ir a Sevilla; pues de lo contrario todo se irá en fletes. De esta manera, se animarán un poco los vecinos a seguir esta granjería".

"A pesar de que el emperador Carlos V protegió la industria sacarina, prohibiendo que fueran ejecutadas las deudas y cobradas en los negros destinados a la faena azucarera y en cuantos artefactos correspondían a los trapiches; y que en 5 de agosto de 1598 el rey Felipe II ratificó esta real cédula; y se prohibió terminantemente la siembra de jengibre, con pregón el 3 de enero de 1603, creyendo que este cultivo perjudicaba al de la caña de azúcar; no embargante continuó mermando la explotación sacarina. La razón era evidente. No había mercado; ni tráfico comercial entre la isla y su Metrópoli. El goberndor don Juan Pérez de Guzmán, en 1660, escribía al Rey: "Hace once años que no entra en esta isla un navío de registro, por cuya causa no tienen los vecinos salida de sus frutos. Será preciso para remedio, que se mande despachar cada año un navío de registro." El lucrativo tráfico comercial de la Metrópoli con el Continente inmediato nos tenía reducidos a este aislamiento y consecuente penuria. La situación se salvó con el contrabando establecido con los buques extranjeros; y al cual no eran extraños los propios gobernadores y hasta algunos obispos, reconociendo la necesidad de permitirlo para evitar la ruina total de la isla. El continente sudamericano absorbía toda la atención de la Metrópoli, política y comercialmente. El Gobierno, al fin, trató de remediar estos males con la Real Cédula de 4 de mayo de 1755, creando la Real Compañía Catalana de Nuestra Señora de Monserrate, para comerciar en Puerto Rico, Santo Domingo y la Margarita. Además, en 1764, se estableció un buque correo, que cada mes salía de la Coruña para La Habana y Puerto Rico. Después en 1770, la Compañía Guipuzcoana se dedicó también a llevar nuestros frutos a España. No figuraba en esta explotación el azúcar, ni el aguardiente de caña. No es de extrañar, porque en 1749 el gobernador don José Colomo publicó un bando, prohibiendo la fabricación y el uso del alcohol de caña y los licores que con él se hacían, en cumplimiento de una Real Cédula de S. M. de 6 de agosto de 1774, que así lo ordenaba, con pena de cinco años de presidio y pérdida de los alambiques y dinero obtenido, por el perjuicio que irrogaba al comercio de Cádiz Ya en 1714, 1720 y 1744 se habían dictado reales cédulas en ese mismo sentido. Era la lucha de intereses encontrados entre los que comerciaban con el aguardiente de uva en Cádiz y Sevilla y los que explotaban el de caña en las Indias Occidentales. Esa estúpida prohibición fué derogada el 6 de noviembre de 1765; disponiéndose que los dueños de alambiques pagasen dos pesos por cada barril de carga, por saca de aguardiente de caña.

"El monopolio de Sevilla para comerciar con América duró

hasta 1715 y el de Cádiz hasta 1778, que se habilitaron once puertos de la Península y treinta y cuatro en el Nuevo Mundo, para la contratación recíproca. Este fué un paso avante importantísimo. A pesar de las trabas comerciales, la isla progresaba en su desenvolvimiento territorial; y por Real Cédula de 18 de abril de 1799 el Rey aprobaba la fundación de siete pueblos: Cayey, Fajardo, Aguadilla, Rincón, Moca, Caguas y La Vega ó Naranjal, y se pedían informes sobre una instancia de don Nicolás Ramírez para fundar otro en Cabo Rojo, que desde 1778 se consideraba ya como un poblado de importancia."

Después del cambio de soberanía se instalaron los grandes ingenios modernos, siendo el primero que modernizó sus fábricas la Central San Vicente, en Vega Baja, propiedad de Rubert Hermanos.

3. cepo, artefacto compuesto de dos trozos de madera, con dos hoyos, donde se colocaban los tobillos del prisionero; y asegurándolos luego con una cadena impedían la huída por la imposibilidad de andar a quedaba reducido el preso.

4. *La esclavitud en Puerto Rico.* La leyenda "Carabalí" expone uno de los males horrorosos de la esclavitud, cuya historia en Puerto Rico, como en todas partes, está llena de crímenes. El bando del General Prim, el ilustre conde de Reus, contra los esclavos denota una barbarie medioeval, cincuenta años después de ocurrida la Revolución Francesa. Contenía seis artículos, todos y cada uno de los cuales sangraba un refinamiento de crueldad inconcebible en nuestro tiempo. Esos artículos eran:

"Art. 1o.—Los delitos de cualquiera especie que desde la publicación de este Bando comentan los individuos de raza africana residentes en la Isla, sean libres o esclavos, serán juzgados y penados militarmente por un Consejo de Guerra que esta Capitanía General nombrará para los casos que ocurran, con absoluta inhibición de cualquier otro Tribunal.

"Art. 2o.—Todo individuo de raza africana, sea libre o esclavo, que hiciere arma contra los blancos, justificada que sea la agresión, será, si esclavo, pasado por las armas; y si libre se le cortará la mano derecha por el verdugo; pero si resultare herida será pasado por las armas.

"Art. 3o.—Si un individuo de raza africana, sea esclavo o libre, insultare de palabra, maltratare o amenazare con palo, piedra o en otra forma que convenza su ánimo deliberado de ofender a la gente blanca en su persona, será el agresor condenado a cinco años de presidio si fuere esclavo, y si libre, a la pena que a las circunstancia del hecho correspondan, previa la justificación de él.

"Art. 4o.—Los dueños de los esclavos quedan autorizados en virtud de este Bando para corregir y castigar a éstos por las faltas leves que cometieren, sin que funcionario alguno, sea militar o civil, se entrometa a conocer del hecho, porque solo a mi Autoridad competirá en caso necesario juzgar la conducta de los señores respecto de sus esclavos.

"Art. 5o.—Si, aunque no es de esperar, algún esclavo se sublevara contra su señor y dueño, queda éste facultado para dar muerte en el acto a aquél, a fin de evitar con este castigo pronto e imponente que los demás sigan el ejemplo.

"Art. 6o.—A los Comandantes militares de los ocho Departamentos de la Isla, corresponderá formar las primeras diligencias para averiguar los delitos que cometan los individuo de raza africana contra la seguridad pública o contra las personas y las cosas; procurando que el procedimiento sea tan sumario y breve que jamás exceda del improrrogable término de veinte y cuatro horas. Instruído el sumario lo dirigirá a mi Autoridad por el inmediato correo, a fin de dictar en su vista la sentencia que corresponda al tenor de las penas establecidas en este Bando."

Pero frente al poder esclavista luchaban los patricios puertorriqueños más esclarecidos, terminando por obtener la victoria. Con bellas palabras describe el triunfo el propio Dr. Coll y Toste:

"Las ideas penetran en las conciencias y gobiernan el mundo; y la idea abolicionista había penetrado en la conciencia del pueblo puertorriqueño. La esclavitud, al amparo de la ley, existía en Puerto Rico. El hecho grosero, cruel y sanguinario del hombre explotado y exclavizando al hombre como bestia de carga o buey de arado, era difícil de vencer. Ya Inglaterra había resuelto en 1806 abolir la trata, los Estados Unidos en 1808, Dinamarca, Portugal y Chile en 1811, Suecia en 1815 y España en 1822. En principio, el genio del bien había vencido al genio del mal; pero, suprimida la trata, empezó la propaganda abolicionista para suprimir también el hecho de la esclavitud. La prensa dirigió el debate y la controversia; y en el libro, en el teatro y en la hoja diaria triunfó el pensamiento de la redención. Al fin, Inglaterra rompe los eslabones de la cadena del esclavo en 1834, Suecia, Dinamarca, Uruguay, Valaquia y Túnez en 1846, Francia en 1848, y siguen este mismo impulso civilizador Portugal en 1856 y Holanda en 1862. Los Estados Unidos en 1864 tienen que empeñarse en una cruenta guerra fratricida para sacar triunfante la causa de la emancipación. Ya una comisión de nuestros informadores, compuesta de los ilustres patricios don Segundo Ruiz Belvis, don José Julián Acosta y don Francisco Mariano Quiñones, había presentado al Gobierno de la metrópoli, en 10 de abril de 1867, un informe sobre la abolición inmediata de la esclavitud en la isla de Puerto Rico, y los diputados puertorriqueños de 1872 a 1873 en una proposición de ley hicieron hincapié en las Cortes sobre este asunto, por considerar imposible establecer reforma alguna política en la pequeña Antilla mientras existiera este foco de corrupción y de maldad; y porque la servidumbre negra era la mejor garantía que tenían los reaccioarios para la esclavitud blanca. Después de largas y acaloradas discusiones en las que nuestros diputados estuvieron a la altura de su misión, la Asamblea Nacional votó el 22 de marzo de 1873 la abolición de la esclavitud en Puerto Rico. Y el hombre negro, sobre cuya frente el Creador había impreso también un destello de su divinidad, dejó de llevar la cabeza inclinada al suelo al peso de sus infortunios y la levantó al cielo para dar gracias al Ser Supremo, brillando el sol tropical en la marchita mejilla, humedecida por las lágrimas de la gratitud. ¡Gloria eterna al fundador en Madrid, de la Sociedad Abolicionista, el benemérito puertorriqueño Julio Vizcarrondo; a los valientes informadores Ruiz Belvis, Acosta y Quiñones; y a los elocuentes tribunos Castelar, Labra y Moret! Don Emilio Castelar y don Rafael M. de Labra, cuyas brillantes palabras fueron piquetas demoledoras del ominoso edificio de los negreros; y don Segismundo Moret y Prendergast, autor de la ley preparatoria para la abolición de la esclavitud, y que, arrancando la negra página de nuestro Código, que contenía la sangrienta ley esclavista, puso fin a aquella terrible violación de los derechos naturales del hombre."

LAS ONCE MIL VIRGENES
(1797)

I

El general inglés Abercromby[1] en 1797, dirigióse contra la isla de Trinidad,[2] comandando una formidable escuadra de sesenta velas; y habiéndose apoderado fácilmente de aquella tierra, hizo rumbo a la de Puerto Rico y desembarcó sus aguerridas tropas en las playas de Cangrejos en son de conquista.

Gobernaba este país el general don Ramón de Castro y prontamente puso la ciudad en estado de defensa. Se tocó la generala. Se distribuyó la guarnición. Se cortó el puente de San Antonio. Se organizaron ganguiles,[3] pontones y baterías flotantes en lanchas cañoneras y se levantaron patrullas en cuerpos volantes para recorrer y defender los campos circunvecinos de las incursiones y depredaciones del enemigo. Se publicó un bando para que las mujeres, los niños y los viejos abandonaran la ciudad, quedando solo los hombres útiles para tomar las armas.

No fué posible evitar el desembarco de las tropas inglesas, porque los navíos anclados en la ensenada de Cangrejos, barriendo la playa con metralla, protegían las chalupas y botes que desembarcaban las tropas enemigas cerca de la playa llamada la Torrecilla.

El general Abercromby situó su cuartel general en la Casa del Obispo cerca de la iglesia de San Mateo y empezó a avanzar hacia poniente. Al llegar al puente de San Antonio le detuvo la cortina de fuego de este fortín, que fué destruído en 1896, y la metralla del Castillo de San Gerónimo. Entonces levantó trincheras en Miramar (en aquella época se llamaba el Rodeo y posteriormente El Olimpo) y en el Condado. No le fué posible pasar adelante, aunque tomó los polvorines de Miraflores. Si recio y sostenido era el fuego de cañón y mortero del inglés, porfiada era la defensa de la plaza. El sitio empezó el 17 de abril y el 29 del mismo mes continuaba en iguales condiciones, peleando sitiados y sitiadores con empeño y denuedo.

II

El obispo Trespalacios,[4] que regía esta diócesis ayudó a Castro hidalgamente con personal eclesiástico para todos los puestos de la guarnición, hasta los de peligro, y además dinero. La Cruz y la Espada marchaban de común acuerdo en la defensa de San Juan.

El 30 de abril se presentó a su ilustrísima el Provisor y le dijo:

—Señor Obispo, ¿por qué no hacemos una rogativa para implorar el auxilio del cielo?

—Tiene usted mucha razón. Haremos una rogativa dedicada a Santa Catalina, santa del día, y patrona del primer castillo que se hizo en esta ciudad y que hoy es casa de los Gobernadores, y también la dedicaremos a Santa Ursula y a las once mil vírgenes, de quienes soy devoto especial.

—Y ¿cómo se dispondrá la procesión?

—Pues toda la ciudad tomará parte en ella. El que no tenga vela de cera la llevará de esperma o sebo y los muy pobres llevarán antorchas de tabonuco. Yo la presidiré con el Cabildo eclesiástico y las autoridades. Saldremos de la Catedral y recorreremos todas las calles de la capital y al romper el alba regresaremos al templo para celebrar una misa cantada a toda orquesta.

Tal como lo dispuso el señor obispo tuvo efecto la grandiosa rogativa con el aditamento de haber echado a vuelo todas las campanas de las iglesias.

III

A las nueve de la noche los espías ingleses, que atalayaban, avisaron al cuartel de Abercromby, que se notaba gran movimiento dentro de la ciudad, que se oían grandes repiques de campanas y se vislumbraban grandes luminarias hacia el oeste.

—Estarán recibiendo refuerzo de los campos, dijo el general inglés; y añadió: Mis fragatas, que vigilan la entrada del puerto, no pueden acercarse por el fuego que les hacen las baterías del castillo de la entrada.

Y dió órdenes para que las trincheras de El Rodeo y del Condado avivaran lo más intensamente posible el fuego contra la ciudad. Y que hubiera acción de mosquetería sostenida contra las lanchas cañoneras.

A las doce de la noche volvieron los vigías a notificar al general Abercromby que las luces iban creciendo dentro de la ciudad y que ahora se dirigían al este. Abercromby reunió su estado mayor y le dijo:

—Llevamos cerca de un mes en la fajina de este sitio y no hemos adelantado una pulgada. Tenemos lo que tomamos el primer día y nada más. La plaza está muy bien defendida. Por otra parte la disentería empieza a hacer estragos en nuestra tropa. El agua de que disponemos es muy mala. Hay que tener en cuenta, que los vecinos de los campos, fuertes y aguerridos, van viniendo a socorrer la Capital y no podemos evitarlo. Esta noche se prepara, indudablemente, una gran salida de los sitiados, al primer cuarto de la madrugada para atacar nuestro campamento. Creo, pues, llegado el momento de reembarcar la tropa.

Todos los oficiales de su estado mayor fueron de igual parecer. Se dió la orden de embarque. Se tocó la generala. Y a la mañana siguiente, primero de mayo, estaba completamente levantado el sitio.

IV

En la iglesia Catedral, después de la misa cantada, se entonó el *Tedéum laudamus* y luego predicó su Ilustrísima.

LAS ONCE MIL VIRGENES

Un hermano de mi abuela, teniente de Milicias, que entró en la plaza el 22 de abril con una compañía de Milicianos de Arecibo, refería el espléndido triunfo de Santa Ursula y las once mil vírgenes. Mi abuela, que murió de noventa y siete años, y recibió de labios de su hermano la histórica narración, me contaba que las once mil vírgenes, gracias al obispo Trespalacios, que las había implorado a tiempo, salvaron la ciudad del saqueo de los ingleses. Que aquella memorable noche fué cuando más tronó el cañón enemigo, y que las balas se volvían de mitad de camino contra los sitiadores y no caían en la ciudad. Y que cuando la gran rogativa entraba en Catedral terminó de repente el cañoneo y desaparecieron los enemigos.

También así lo estuve yo creyendo mucho tiempo; pero después he sabido que Santa Ursula y las once mil vírgenes eran bretonas y he pensado, que de haber venido en aquella ocasión hubiera sido en ayuda de sus paisanos, a pesar de lo que juraba y perjuraba el hermano de mi abuela.

De modo que, respetando la buena fe de nuestros mayores y su bella tradición, me inclino a creer que quienes obligaron a los ingleses a levantar el asedio fueron el gobernador don Ramón de Castro con su activa dirección y enérgico carácter y los férreos puños de los Mascaró, Vizcarrondo, Andino, del Toro, Linares, Lara, Díaz y demás valientes que supieron defender el terruño de la invasión extranjera.

NOTAS

I. *Abercromby*. Rafael Abercromby, ilustre soldado inglés, nacido en 1734 y muerto en 1801. Se distinguió en las guerras con Holanda, encargándosele de una expedición contra las Américas Españolas, en cuyo viaje fué que ocurrió el ataque contra San Juan de Puerto Rico a que se refiere la leyenda. De vuelta a su patria mandó las fuerzas inglesas destinadas a Egipto, donde sí obtuvo varias acciones de guerra afortunadas contra los franceses, muriendo de resultas de una herida que recibió en el último de estos combates. En sus memorias el General Abercromby relata el ataque de San Juan en la siguiente forma:

"La expedición quizás se emprendió muy a la ligera. Carecíamos de informes suficientes, y, a decir la verdad, son difíciles de obtener. Los marinos, contrabandistas y comerciantes, saben poco más de lo que a su negocio afecta: tan solo los militares o los hombres de gran espíritu de observación podrían alcanzar informes correctos. Abbe Raynal pasa como escritor de poco crédito, pero en este punto ha estado acertado. Después de la reducción de Trinidad, el Almirante convino conmigo que debía hacerse algo, y como ambos, él y yo, habíamos recibido refuerzos e instrucciones de atacar a Puerto Rico, determinamos probar fortuna, confiando un poco en la debilidad del enemigo. Le encontramos bien preparado, con una guarnición más fuerte que la nuestra y con artillería poderosa. Las tropas ciertamente, eran de la peor clase, mas detrás de murallas, no podían menos que cumplir con éxito su deber."

2. *Trinidad*. Pequeña isla situada en la costa Nordeste de la América del Sur. Tiene una superficie de 4,550 kilómetros cuadrados; y cuenta con alrededor de 250,000 habitantes ingleses, españoles, franceses y negros. La industria más con-

siderables es la del asfalto. Fué descubierta por Colón el 31 de julio de 1498 y perteneció a España hasta que los ingleses la conquistaron en 1797, cuya conquista fué ratificada por el Tratado de Amiens de 1802.

3. *ganguiles.* Pequeño barco, el cual sólo tiene un palo y la popa semejante a la proa, de manera que navega hacia adelante o hacia atrás, como sea necesario.

4. *Trespalacios.* José Felipe de Trespalacios fué canónigo de Santo Domingo, de donde pasó a ser obispo de Puerto Rico. Más tarde ocupó la Silla Episcopal de La Habana. Llegó a esta isla el año de 1788 comisionado por el rey para hacer la división del obispado de Cuba. Falleció en 1799.

LA CAMPANA DEL INGENIO

(1840)

I

La antigua hacienda de caña *Rancho Viejo*, cuyas mazas eran movidas por vigorosos bueyes, se había convertido en el potente ingenio *San Jorge*, con máquina de vapor y adquisición de mayores predios de terrenos para ensanchar el cultivo de la dulce gramínea.

Del viejo trapiche no quedaba en pie más que una torre circular, de fuertes muros, bien construída, que parecía recordar haber sido un molino de viento, utilizado con anterioridad tal vez a la bueyada para mover con auxilio de los alisios las mazas trituradoras, en un principio hechas de gruesos troncos de madera.

Don Jorge Smith, que transformó primeramente el trapiche melaero en molino hidráulico el año treinta y luego en una buena hacienda de tren jamaiquino, con buenas libras esterlinas de que disponía, completó la dotación de cuarenta piezas de esclavos, y convirtió la vieja torre en atalaya de la finca y lugar destinado para fijar la campana que había de despertar a los siervos al romper el día, del sueño profundo que gozaban los infelices en los bien atrancados cuarteles.

A las tres grandes campanadas, que llegaban a los cuarteles desde la alta torre, salían los trabajadores bien de mañana, a sus respectivas faenas, bajo la custodia de los segundos mayordomos del ingenio, que ya habían recibido del mayoral la consigna de lo que tenían que hacer aquel día. La misma campana con su ronco tañido suspendía la labor en los barbechos, que se estaban cultivando, así como la brega fatigosa en la fábrica y alambique, y la misma metálica voz reanudaba los trabajos.

Andando los tiempos la campana se rajó; pero, en seguida, se colgó otra en su lugar. Y, finalmente, el pito vocinglero de la máquina de vapor sustituyó ventajosamente al histórico instrumento, y la baratura y facilidad de adquirir un reloj suizo de bolsillo, uniformó la hora en todos los departamentos e hizo enmudecer por completo la vieja campana de la sombría torre. También se arrumbó el reloj grande de la antesala, de gran disco y gran caja vertical, ocultadora de cuerdas y pesas de la antigua maquinaria. En su lugar se puso un pequeño reloj de pared de metálica cinta circular enrollada, al cual se le daba cuerda semanalmente; y por él se regulaban todos los relojes de los empleados del ingenio.

Don Jorge, fundador de esta hacienda, vivió siempre en ella y no creó familia. Tenía una sobrina, doña Carlota, que inmigró con él de Jamaica y que vino a ser su heredera. Refería la sobrina a su esposo don Conrado Maldonado, el primer mayordomo del ingenio, con quien contrajo matrimonio al año siguiente de estar en el país, que la noche anterior a la muerte repentina de su tío estuvo ella desvelada por el mucho calor que hacía, que dejó abierta media ventana de su aposento, en la parte que daba a la alta torre, y que para coger el sueño se puso a leer *Los Doce Pares de Francia.* Que embebida en la lectura tuvo que suspenderla porque oyó claramente que tañía quedo, muy quedo, la vieja campana del ingenio. Primero creyó que era el viento y la ofuscación de su mente; pero la segunda vez que percibió el doblar lento del metálico sonido, quedó convencida de que era la cascada voz de la vieja campana rajada.

Doña Carlota no comunicó a nadie más que a su esposo aquella fantástica impresión. Y hasta se olvidó del extraordinario fenómeno por el momento, ante el desagradable suceso de que al medio día murió de repente don Jorge, de un ataque apoplético, al salir de la fábrica de la hacienda. Don Conrado, descreído, consideró cuestión de nervios el relato de su esposa; y no volvió a ocuparse de aquel asunto.

II

Heredera doña Carlota del ingeno *San Jorge,* pidió con empeño a su esposo ordenara que la puerta que daba entrada a la alta torre fuera tapiada completamente, lo que se efectuó para evitar que por la noche pudiera cualquier malhechor refugiarse en aquel abandonado sitio.

La buena señora tuvo de su consorte tres hijos y

una hija; y durante largo tiempo gozaron felizmente de los buenos rendimientos del productivo ingenio. El esposo era un buen marido y un buen padre de familia; pero tanto bienestar terminó una noche, víspera de Año Nuevo, en que iban a cumplir sus veinticinco años de casados y a celebrar las bodas de plata.

Estaba doña Carlota con sus criadas de confianza, preparando hojaldres y bizcochos, para el siguiente día; sus hijos estaban ya recogidos; el esposo en el pueblo, y la noche se le había ido pasando suavemente en la espera del retorno de su marido, sentada en el comedor mientras las sirvientas trabajaban los dulces. De pronto oyó claramente el tañido cascado de la vieja campana del ingenio. El abanico que tenía en las manos se le cayó al suelo. Las criadas le manifestaron que no habían oído nada.

Doña Carlota dejó el comedor y pasó a su aposento, donde se puso a rezar. Nerviosa y preocupada abrió maquinalmente la ventana que daba hacia la torre. En mitad de sus oraciones se le desprendió el rosario de las manos, porque el ronco tañido del roto metal, doblando quedo llegaba claramente a sus oídos. Cerró medrosa la ventana y acostóse vestida, sin decir nada a sus familiares.

A las tres de la tarde del siguiente día trajeron a don Conrado en unas angarillas a la casa vivienda del ingenio. Un rebelde esclavo, que había sido castigado con ensañamiento por el capataz, juró vengarse en aquel amo débil y consentidor de semejantes torturas; y lo acechó cuando entraba en el jardín a recoger unas flores para obsequiar a su hija, y detrás de unos rosales lo atacó y macheteó cruelmente.

III

Iba a celebrarse en el ingenio *San Jorge* el enlace matrimonial de la hija de don Conrado, la bella Estefanía, linda joven de diez y seis primaveras, con el médico titular del pueblo don Agapito Fernández de los Ríos. Era Estefanía una criolla de ojos negros, grandes y expresivos, luengas pestañas y finas cejas bien arqueadas, trenzas gruesas color de caoba, y frente y nariz de perfiles griegos. Bajo el tinte trigueño de su piel circulaba una sangre cálida y vivaz, pues daba grande atractivo a aquella adorable criatura. Un cuerpo airoso, con curvas firmes y bien trazadas completaban las gracias de la doncella.

Se prepararon unas bodas fastuosas. El novio quería echar la casa por la ventana. Doña Carlota deseaba que el casamiento de su hija única fuera rumboso. Todo lo principal del pueblo estaba convidado. Como grato recuerdo de aquel feliz enlace, se bautizarían algunos negritos, de los cuales serían padrinos los principales jóvenes de las más encopetadas familias. También serían manumitidos, como gracia especial, la mulata que fué nodriza de Estefanía cuando enfermó la señora madre, y el negro viejo que acompañaba a la niña todos los días a la escuelita del barrio.

Aquella fiesta nupcial sería extraordinaria; duraría dos días y el tercero por la mañana pasaría la feliz pareja con su acompañamiento en coches y a caballo, al pueblo, a realizar el casamiento con arreglo al ritual de la iglesia católica; y con el frescor del día seguirían viaje para la Capital, a fin de tomar el vapor intercolonial de San Thomas, donde trasbordarían al trasatlántico de la línea francesa que les llevaría a St. Nazaire, para pasar en Europa una buena temporada.

El primer día del festival se pasó alegremente con los bautizos por la mañana y baile por la tarde, que duró hasta la media noche. Todos se retiraron alegres y contentos. Doña Carlota, fatigada del trajín del día, sentóse en un columpio, abrió las ventanas de su cuarto y se puso a contemplar la salida de la luna. Aquel globo de luz, que ascendía lentamente por oriente, le trajo dulces añoranzas a la memoria. Un airecillo fresco venía de los cañaverales. A la una de la noche, al levantarse para cerrar la puerta de su aposento y acostarse se detuvo repentinamente como si súbita parálisis embargara todos sus miembros. Le pareció haber oído el ronco tañido de la resquebrajada campana vieja. Se agarró de la hoja de la puerta para no caer al suelo, del terrible sacudimiento nervioso que había experimentado, al sentir en sus oídos aquella campana queda, de sordo doblar metálico que despertaba en su alma con apocalíptica voz, tristes e imperecederos recuerdos. Trabajosamente llegó al columpio y se puso a rezar.

Al poco rato volvió a oír de nuevo el tañido ronco del quebrantado bronce. Arrodillóse la infeliz dama y levantando los ojos lacrimosos al cielo exclamó:

—¡Oh, Dios mío, qué desgracia será la que nos espera! ¡Qué sea yo la víctima, Señor!...

Y se desmayó.

IV

El día amaneció esplendente; límpida la atmósfera, sin celajes el horizonte y el sol diamantino. Los hombres organizaron una cacería de palomas torcaces al inmediato bosque de palmeras. Terminó el desayuno con alegres chistes y emprendióse la marcha.

Idos los caballeros, las jóvenes se pusieron a tocar al piano, acompañado de guitarra y bandolín; y por largo rato cantaron una guaracha. Una de ellas entonó una dulce melopeya. Luego quedaron fastidiadas de estas diversiones, pues les faltaba el elemento varonil que con sus galanteos las animara a repetir el canto. Entonces la hija de doña Carlota propuso una excursión a bañarse al río, que estaba muy cerca de la casa. Allí pasarían un buen rato a las sombras de los bambúes y entre las frescas aguas del baño. Todas las muchachas aplaudieron estrepitosamente para aprobar aquel improvisado plan. Las sirvientas de confianza las acompañarían y la pléyade de hermosas doncellas se marchó al río.

Antes de bañarse se pusieron las jóvenes a danzar,

cogidas de las manos, y cantando y danzando se fueron entrando en las cristalinas aguas. El río tenía un descanso de menor a mayor. Las muchachas al sentir el frescor delicioso del agua se dejaron llevar de la seductora pendiente y de la grata impresión del líquido elemento; e insensiblemente cogidas de las manos se deslizaron hacia el cantil. La primera que le faltó pie y sintió el agua al cuello, gritó con fuerza y atrajo hacia ella sus dos compañeras inmediatas. Las demás jóvenes creyeron que zambullían aquellas amigas por gracejo y alegría. Y el triste final fué, que cuando se quiso no se pudo romper la fatídica cadena, y se ahogaron cuatro jóvenes, entre ellas la bellísima Estefanía. Cuando las criadas, buenas nadadoras, trataron de intervenir y socorrer a las infelices criaturas, fué imposible y hasta una de ellas se ahogó por pretender salvar a la prometida esposa de don Agapito Fernández de los Ríos.

La fatal noticia llevada a doña Carlota, fué como si la hubiera herido una chispa eléctrica. Cayó al suelo y estuvo privada de conocimiento dos horas. Al volver en sí, gritó con desesperación y rabia:

—¡Maldita sea esa vieja campana del ingenio!

V

Refieren los hijos de doña Carlota, que la víspera de su muerte, la virtuosa dama oyó conmovida, a la media noche, el lúgubre tocar de aquel resquebrajado bronce, que tan dolorosos recuerdos le traía.

A la mañana siguiente reunió a sus hijos presintiendo la muerte, les refirió tranquila en solemne recogimiento lo que a todos había ocultado y se despidió de ellos con maternal cariño. A la tarde era cadáver. Los hijos mandaron derribar la puerta de la siniestra torre de *Rancho Viejo* y lanzaron iracundos la vieja campana rota al cantil, donde había perecido la infeliz Estefanía y sus tres amigas.

VI

¿Eran alucinaciones de doña Carlota aquellos siniestros tañidos, anunciando muerte? ¿Eran funestas coincidencias? ¿Tratábase de supersticiosos influjos? ¿Quién hacía vibrar la vieja campana del ingenio *San Jorge* a deshoras de la noche? ¿Qué manos invisibles sacudían el quebrantado metal, haciéndole tañer quedamente para anunciar una desgracia inmediata? ¿Eran acaso fenómenos premonitores de la vida de ultratumba?...

¡Cuántos secretos quedan aún por arrancarle a la naturaleza! Indudablemente que en torno nuestro se realizan fenómenos interesantísimos bajo la acción de potencias invisibles que desconocemos. El calor, la luz, la electricidad, el magnetismo, y el mismo vapor de agua, son fuerzas ignoradas en su esencia que no percibe nuestra retina más que por sus efectos. ¡El misterio y el terror nos envuelven!

NOTAS

Para conocer el desenvolvimiento de la industria azucarera en Puerto Rico, véase la nota número 2 de la leyenda "Carabalí."

INDICE

Pág.

Apuntes Biográficos 9
El Matador de Tiburones (1640) 29
El Prodigio de Hormigueros (1640) 41
Becerrillo (1514) 47
El Santo Cristo de la Salud (1766) 57
Guanina (1511) 63
El Grano de Oro (1530) 87
La Sortija de Diamante (1590) 99
La Hija del Verdugo (1765) 115
Una Buena Espada Toledana (1625) 131
El Pirata Cofresí (1824) 145
Carabalí (1830) 159
Las Once Mil Vírgenes (1797) 183
La Campana del Ingenio (1840) 193

Este libro se terminó de imprimir el día 19 de mayo de 1957 en los talleres de "EDITORIAL ORION". Sierra Mojada 325. México D. F.